초등 수학

교과특강

초4

D1

막대그래프, 꺾은선그래프

사고력
문제해결력

측정 · 규칙성
자료와 가능성

에듀히어로
Edu HERO

"진짜 히어로는 우리 아이들입니다!"

에듀히어로는
우리 아이들이 밝고 건강한 내일을 꿈꿀 수 있도록
긍정적이고 효과적인 교육 서비스를 제공하는 것을
최우선 목표로 하고 있습니다.

그 존재만으로도 든든한 히어로처럼 아이들의 곁에서 힘이 되어주고,
나아가 아이들 각자가 스스로의 인생 속 히어로가 될 수 있도록

우리는 진심과 열정을 다해 아이들과 함께 할 것을 약속 드립니다.

 **네이버 카페**
교재 상세 소개와 진단 테스트
및 유용하게 풀 수 있는
학습 자료를 다운로드 해 보세요.

 **인스타그램**
에듀히어로 인스타그램을
팔로우하시면 다양한 이벤트와
신간 소식을 빠르게 만나보실
수 있습니다.

 **카카오톡 채널**
자녀 수학 공부 상담 및
자유로운 질문을 남겨 주세요.
함께 고민하고
답변해 드리겠습니다.

히어로컨텐츠 HEROCONTENS

발행일: 2023년 2월   **발행인:** 이예찬

기획개발: 두줄수학연구소

디자인: 4BD STUDIO   **삽화:** 1000DAY

발행처: 히어로컨텐츠

주소: 서울특별시 금천구 서부샛길 632, 7층(대륭테크노타운5차)

전화: 02-862-2220   **팩스:** 02-862-2227

지원카페: cafe.naver.com/eduherocafe   **인스타그램:** @edu__hero   **카카오톡:** 에듀히어로

초등 수학 핵심파트 집중 완성 교과특강

수학을 잘 하기 위해서는 1) 수와 연산 2) 도형 3) 측정 4) 규칙성 5) 자료와 가능성 등 초등 수학 5대 학습 영역을 고르게 학습해야 합니다.

다른 교과 과목에 비해 많은 시간을 수학을 학습하는 데 할애하고 있지만 아쉽게도 대부분은 연산 영역에 편중되어 있습니다.

최근 들어 '도형' 등 연산 이외의 다른 영역으로 학습을 확장하는 교재들이 출간되고 있지만 여전히 학년별로 다양한 학습 영역과 필수 주제를 체계적으로 안내해 주는 학습지는 많지 않은 것이 현실입니다.

그런 이유로 교과특강은 학년별 필수 주제를 기본 개념부터 응용, 사고력까지 충분하게 학습하고 훈련할 수 있도록 개발되었습니다

수학을 잘 하고 싶은 학생들에게 노력한 만큼의 성장을 이루어내는 데 교과특강은 좋은 토양과 밑거름이 되어줄 것입니다.

초등 수학 핵심파트 집중 완성 교과특강은

1. '자료 해석 능력'을 집중적으로 키웁니다.

앞으로의 학습은 주어진 표와 그래프를 보고 그 의미를 해석하고 추론하는 '자료 해석 능력'을 요구합니다. 실제로 초등 전학년 뿐만 아니라 중등 과정에서도 '자료 해석'은 학습자의 문제해결력을 확인하는 중요한 소재가 되고 있습니다. 다양한 표와 그래프를 이해하고 해석하는 학습은 초등 과정부터 미리 준비하고 집중적으로 훈련할 필요가 있습니다.

2. '측정', '규칙성' 등 필수 영역임에도 쉽게 지나칠 수 있는 주제를 체계적으로 학습합니다.

길이, 무게, 시간, 어림하기 등 초등 과정에서 쉽게 지나치기 쉬운 '측정'과 추론 능력을 길러주는 '규칙성'을 집중적으로 학습합니다.

3. 복습과 예습으로 학년과 학년 사이의 징검다리 역할을 합니다.

1학년에서 2학년, 2학년에서 3학년, 3학년에서 4학년 등 학년이 올라갈수록 특정 영역에서 수학이 갑자기 어려워지는 순간이 옵니다. 교과특강은 각 학년에서 반드시 짚고 넘어가야 하는 주제를 복습하면서 다음 학년을 위한 예습까지 할 수 있도록 개발되었습니다.

4. 문제해결력과 사고력을 길러줍니다.

기본적인 개념을 바탕으로 이를 응용하고 활용하는 문제해결력과 생각하는 힘을 길러줍니다.

초등 수학 핵심파트 집중 완성 **교과특강**은

7세부터 6학년까지 총 7단계 21권(단계별 3권)으로 구성되어 있으며 각 권은 하루에 1장씩 주 5회, 총 4주간 체계적으로 학습할 수 있습니다.

매주 5일차의 학습이 끝난 뒤엔 '생각더하기'를 통해 창의력과 사고력을 기르고, 4주의 학습이 끝난 뒤엔 '링크'와 '형성평가'로 관련 주제를 학습하고 교과 수학을 완성할 수 있습니다.

대 상	단 계	구 성
7세 ~ 1학년	P	P1, P2, P3
1학년	A	A1, A2, A3
2학년	B	B1, B2, B3
3학년	C	C1, C2, C3
4학년	D	D1, D2, D3
5학년	E	E1, E2, E3
6학년	F	F1, F2, F3

〈교과 수학 시리즈 D단계 로드맵〉

에듀히어로의 교과 수학 시리즈를 체계적으로 학습하기 위한 로드맵입니다.

예습을 하며 집중적으로 학습하려면 '영역별 집중 학습'을,

교과서 진도에 맞추어 학습하려면 '교과 진도 맞춤 학습'을 권장드립니다.

[영역별 집중 학습]

1월	2월	3월	4월	5월	6월
교과연산 D0 / 교과도형 D1	교과연산 / 교과도형 D2	교과연산 D1 / 교과도형 D3	교과연산 D3 / 교과특강 D1	교과특강 D2	교과특강 D3

[교과 진도 맞춤 학습]

1월	2월	3월	4월	5월	6월	7월	8월	9월	10월
교과연산 D0	교과도형 D1	교과연산	교과도형 D2	교과특강 D1	교과특강 D2	교과특강 D3	교과연산	교과연산 D2	교과도형 D3

교과특강은 교과 수학을 완성합니다.

주제별 학습

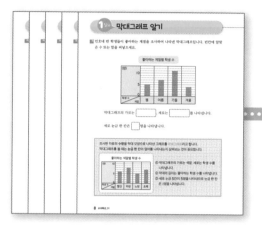

초등 수학을 주제별로 집중 학습합니다. 각 주차의 마지막에 있는 **생각더하기**로 문제해결력을 기릅니다.

생각더하기

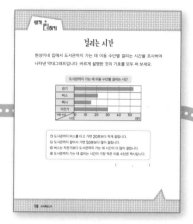

링크

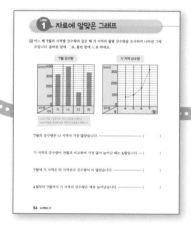

주제별 학습과 연결하여 사고력과 창의력을 향상시킬 수 있는 내용을 학습합니다.

형성평가

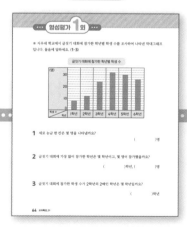

2회의 형성평가로 배운 내용을 잘 알고 있는지 확인합니다.

이 책의 차례

막대그래프

1주차

■ 민호네 반 학생들이 좋아하는 계절을 조사하여 나타낸 막대그래프입니다. 빈칸에 알맞은 수 또는 말을 써넣으세요.

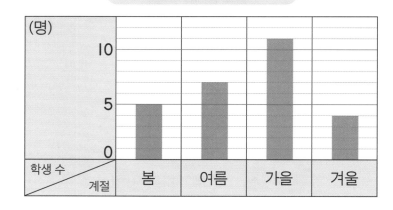

좋아하는 계절별 학생 수

막대그래프의 가로는 [   ], 세로는 [   ]를 나타냅니다.

세로 눈금 한 칸은 [   ]명을 나타냅니다.

조사한 자료의 **수량**을 막대 모양으로 나타낸 그래프를 막대그래프라고 합니다.
막대그래프를 볼 때는 **눈금 한 칸**이 얼마를 나타내는지 살펴보는 것이 중요합니다.

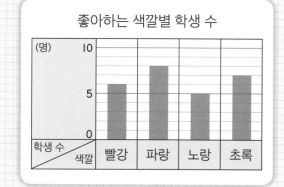

좋아하는 색깔별 학생 수

① 막대그래프의 가로는 색깔, 세로는 학생 수를 나타냅니다.
② 막대의 길이는 좋아하는 학생 수를 나타냅니다.
③ 세로 눈금 **5칸**이 **5명**을 나타내므로 눈금 한 칸은 **1**명을 나타냅니다.

어느 마을에서 일주일 동안 나온 재활용 쓰레기양을 조사하여 나타낸 막대그래프입니다. 빈칸에 알맞은 수 또는 말을 써넣으세요.

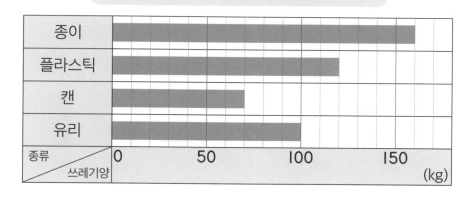

일주일 동안 나온 종류별 재활용 쓰레기양

막대그래프의 가로는 ⬚ , 세로는 ⬚ 를 나타냅니다.

가로 눈금 한 칸은 ⬚ kg을 나타냅니다.

캔은 가로 눈금 7칸만큼이므로 캔의 양은 ⬚ kg입니다.

막대의 길이를 보면 ⬚ 는 플라스틱보다 더 많이 나왔습니다.

막대의 길이를 보면 ⬚ 은 유리보다 더 적게 나왔습니다.

주하네 반 학생들이 좋아하는 과일과 채소를 조사하여 나타낸 막대그래프입니다. 학생들이 좋아하는 과일과 채소별 학생 수를 각각 구해 보세요.

좋아하는 과일별 학생 수

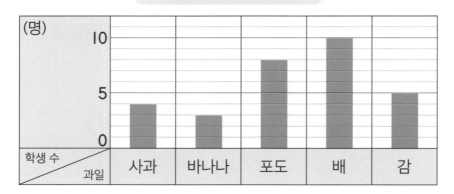

사과: ☐ 명　　　　바나나: ☐ 명　　　　포도: ☐ 명

배: ☐ 명　　　　감: ☐ 명

좋아하는 채소별 학생 수

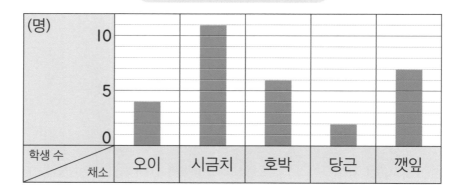

오이: ☐ 명　　　　시금치: ☐ 명　　　　호박: ☐ 명

당근: ☐ 명　　　　깻잎: ☐ 명

■ 샌드위치 가게에서 일주일 동안 팔린 샌드위치와 음료를 조사하여 나타낸 막대그래프입니다. 종류별 팔린 샌드위치와 음료 수를 각각 구해 보세요.

종류별 팔린 샌드위치 수

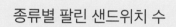
가로 눈금 한 칸이 얼마를 나타내는지 살펴봅니다.

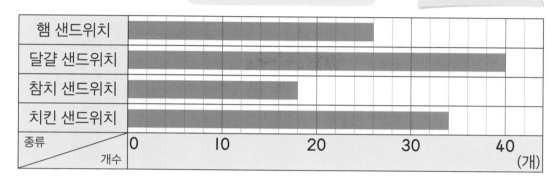

햄 샌드위치: ☐ 개 　　　 달걀 샌드위치: ☐ 개

참치 샌드위치: ☐ 개 　　　 치킨 샌드위치: ☐ 개

종류별 팔린 음료 수

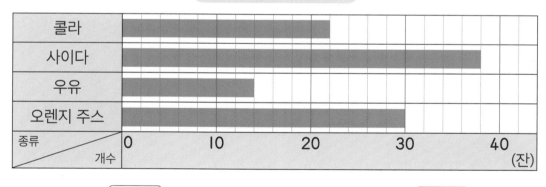

콜라: ☐ 잔 　　　 사이다: ☐ 잔

우유: ☐ 잔 　　　 오렌지 주스: ☐ 잔

은채네 학교 4학년 반별 학생 수를 조사하여 나타낸 막대그래프입니다. 올바른 말에 ○표, 틀린 말에 ✕표 하세요.

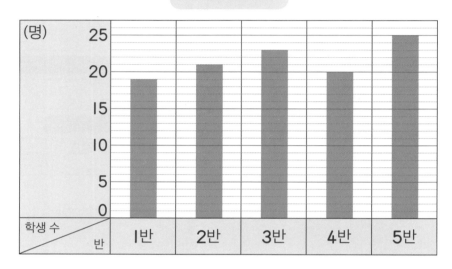

반별 학생 수

2반은 1반보다 학생 수가 더 많습니다. ⸺⸺⸺⸺ (   )

학생 수가 가장 많은 반은 5반입니다. ⸺⸺⸺⸺ (   )

학생 수가 가장 적은 반은 4반입니다. ⸺⸺⸺⸺ (   )

2반보다 학생 수가 많은 반은 3반과 5반입니다. ⸺⸺ (   )

학생 수가 둘째로 많은 반은 2반입니다. ⸺⸺⸺ (   )

📓 마을별 가구 수를 조사하여 나타낸 막대그래프입니다. 물음에 답하세요.

마을별 가구 수

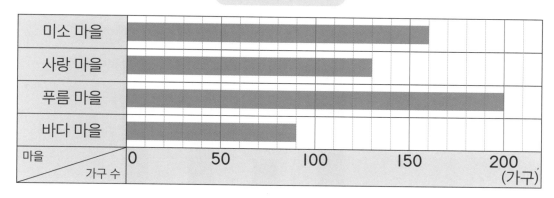

미소 마을보다 가구 수가 많은 마을은 어느 마을인가요?

( )

가구 수가 둘째로 적은 마을은 어느 마을인가요?

( )

가구 수가 가장 많은 마을부터 차례로 써 보세요.

(, , ,)

수량 비교하기

📓 유나네 학교 4학년 학생들이 여름 방학에 가고 싶은 장소를 조사하여 나타낸 막대그래프입니다. 빈칸에 알맞은 수를 써넣으세요.

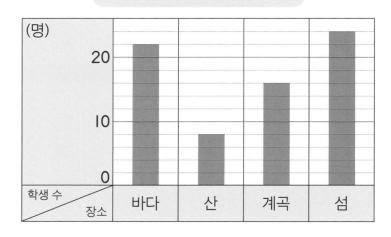

여름 방학에 가고 싶은 장소

바다에 가고 싶은 학생은 ☐ 명입니다.

산과 계곡에 가고 싶은 학생을 더하면 ☐ 명입니다.

섬에 가고 싶은 학생은 바다에 가고 싶은 학생보다 ☐ 명 더 많습니다.

바다에 가고 싶은 학생은 계곡에 가고 싶은 학생보다 ☐ 명 더 많습니다.

계곡에 가고 싶은 학생 수는 산에 가고 싶은 학생 수의 ☐ 배입니다.

찬희가 요일별로 줄넘기를 넘은 횟수를 나타낸 막대그래프입니다. 물음에 답하세요.

요일별 줄넘기를 넘은 횟수

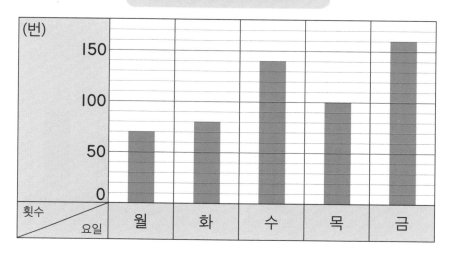

목요일에는 화요일보다 줄넘기를 몇 번 더 많이 넘었나요?

( )번

줄넘기를 넘은 횟수가 월요일의 **2**배인 요일은 무슨 요일인가요?

( )

줄넘기를 가장 많이 넘은 요일은 가장 적게 넘은 요일보다 몇 번 더 많이 넘었나요?

( )번

2개의 막대그래프

하민이네 학교 4학년 1반과 2반 학생들이 좋아하는 과목을 조사하여 나타낸 막대그래프입니다. 물음에 답하세요.

1반 학생들이 좋아하는 과목별 학생 수

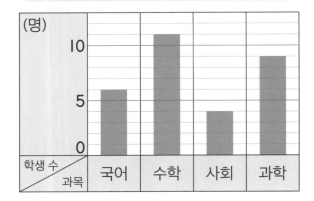

2반 학생들이 좋아하는 과목별 학생 수

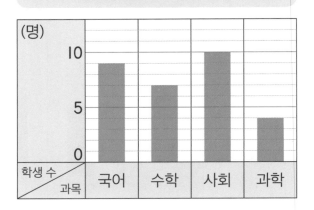

1반에서 좋아하는 학생 수가 가장 많은 과목부터 차례로 써 보세요.

(,   ,   ,   )

2반에서 좋아하는 학생 수가 가장 많은 과목부터 차례로 써 보세요.

(,   ,   ,   )

1반과 2반의 조사 결과를 모았을 때 가장 많은 학생들이 좋아하는 과목은 무엇인가요?

(   )

가 마을과 나 마을에 있는 종류별 나무 수를 조사하여 나타낸 막대그래프입니다. 물음에 답하세요.

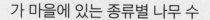

가 마을에 있는 종류별 나무 수

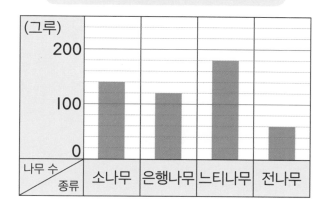

나 마을에 있는 종류별 나무 수

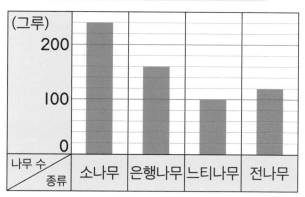

가 마을과 나 마을에서 가장 적은 나무는 각각 무엇이고, 몇 그루 있나요?

가 마을 (   ), (   )그루

나 마을 (   ), (   )그루

가 마을에는 나 마을보다 느티나무가 몇 그루 더 많은가요?

(   )그루

나 마을에는 가 마을보다 소나무가 몇 그루 더 많은가요?

(   )그루

걸리는 시간

현성이네 집에서 도서관까지 가는 데 이동 수단별 걸리는 시간을 조사하여 나타낸 막대그래프입니다. 바르게 설명한 것의 기호를 모두 써 보세요.

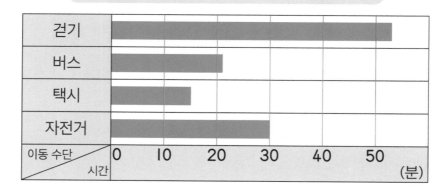

도서관까지 가는 데 이동 수단별 걸리는 시간

⊙ 도서관까지 버스를 타고 가면 **20**분보다 적게 걸립니다.

⓵ 도서관까지 걸어서 가면 **50**분보다 많이 걸립니다.

ⓒ 버스는 자전거보다 도서관까지 가는 데 시간이 더 많이 걸립니다.

ⓔ 도서관까지 가는 데 걸리는 시간이 가장 적은 이동 수단은 택시입니다.

(,   )

2 주차 막대그래프로 나타내기

우주네 반 학생들이 하고 싶은 방과 후 활동을 조사하여 나타낸 표입니다. 빈칸에 알맞은 수 또는 말을 써넣으세요.

학생들이 하고 싶은 방과 후 활동별 학생 수

활동	태권도	합창	컴퓨터	서예	합계
학생 수(명)	7	4	12	2	25

태권도를 하고 싶은 학생은 ☐ 명입니다.

오른쪽 막대그래프에서 세로(가로) 눈금 한 칸은 ☐ 명을 나타냅니다.

태권도를 하고 싶은 학생 수의 막대는 눈금 ☐ 칸만큼 그려야 합니다.

막대그래프의 가로에 활동을 나타내면 세로에는 ☐ 를 나타내어야 합니다.

막대그래프의 가로에 학생 수를 나타내면 세로에는 ☐ 을 나타내어야 합니다.

■ 왼쪽 표를 보고 두 가지 막대그래프로 나타내어 보세요.

학생들이 하고 싶은 방과 후 활동별 학생 수

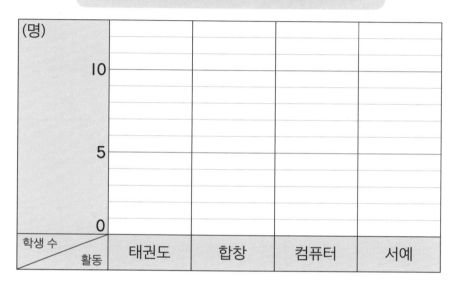

학생들이 하고 싶은 방과 후 활동별 학생 수

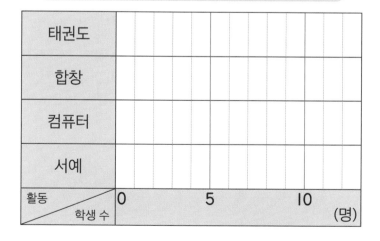

막대그래프 그리기

■ 어느 전자제품 매장에서 한 달 동안 팔린 전자제품의 수를 조사하여 표로 나타내었습니다. 표를 보고 막대그래프로 나타내고 빈칸에 알맞은 말을 써넣으세요.

전자제품별 판매량

전자제품	노트북	텔레비전	휴대 전화	에어컨	냉장고	합계
판매량(대)	50	40	150	120	90	450

막대그래프의 가로와 세로, 단위를 빠뜨리지 않고 씁니다.

전자제품별 판매량

가장 많이 팔린 전자제품은 [ ] 입니다.

가장 적게 팔린 전자제품은 [ ] 입니다.

■ 가, 나, 다, 라, 마 마을별 초등학생 수를 조사하여 표로 나타내었습니다. 표를 보고 막대 그래프로 나타내고 빈칸에 알맞은 말을 써넣으세요.

마을별 초등학생 수

마을	가	나	다	라	마	합계
초등학생 수(명)	20	32	14	18	26	110

마을별 초등학생 수

마을\초등학생 수						
가						
나						
다						
라						
마						
	0	10	( )	( )		(명)

가 마을보다 초등학생 수가 많은 마을은 [ ]와 [ ] 마을입니다.

가 마을보다 초등학생 수가 적은 마을은 [ ]와 [ ] 마을입니다.

표와 막대그래프를 각각 완성해 보세요.

계절별 태어난 학생 수

계절	봄	여름	가을	겨울	합계
학생 수(명)	3		10		25

계절별 태어난 학생 수

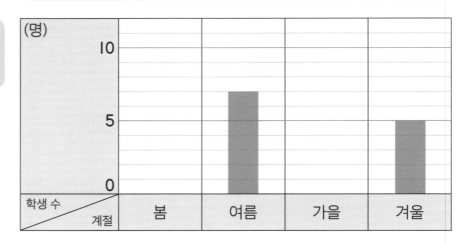

초등학생들이 원하는 직업별 학생 수

직업	의사	선생님	운동선수	요리사	합계
학생 수(명)		280	120		800

초등학생들이 원하는 직업별 학생 수

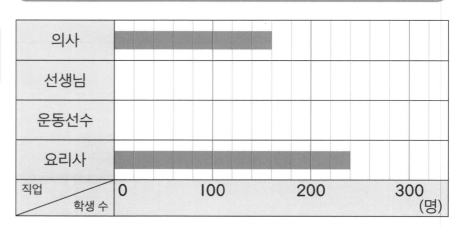

■ 표와 막대그래프를 각각 완성해 보세요.

달리기 대회에 참가한 4학년 반별 학생 수						

반	1반	2반	3반	4반	합계
학생 수(명)	8		9	13	42

달리기 대회에 참가한
4학년 반별 학생 수

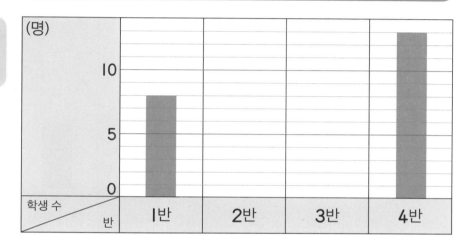

과일 가게에서 팔린 종류별 과일의 양					

종류	사과	귤	배	포도	합계
과일의 양(kg)	30	24	20		90

과일 가게에서 팔린
종류별 과일의 양

조건과 막대그래프

■ 조건을 보고 막대그래프를 완성해 보세요.

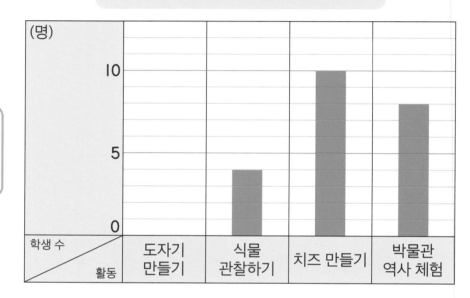

학생들이 하고 싶은 체험 활동별 학생 수

조사한 학생은
모두 **30**명입니다.

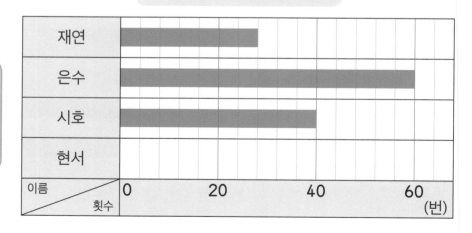

학생별 줄넘기를 넘은 횟수

현서는 시호보다
줄넘기를 **12**번 더
많이 넘었습니다.

■ 조건을 보고 막대그래프를 완성해 보세요.

농장에 있는 종류별 동물 수

닭의 수는 염소 수의
2배입니다.

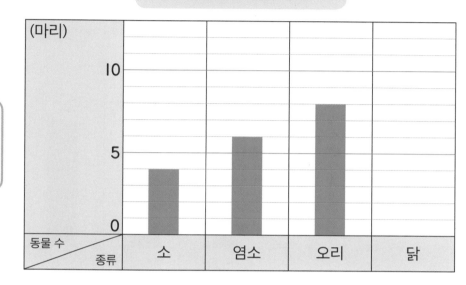

좋아하는 학교 행사별 학생 수

조사한 학생은 모두
400명으로 학예회
와 퀴즈 대회를
좋아하는 학생 수가
같습니다.

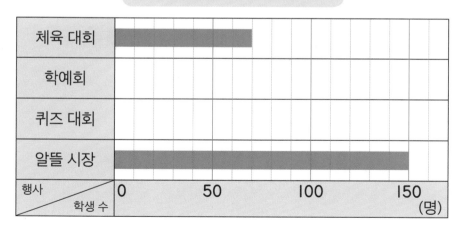

시윤이네 학교 **4**학년 학생들이 집에서 기르고 싶은 동물을 조사하여 나타낸 막대그래프의 일부분이 찢어졌습니다. 물음에 답하세요.

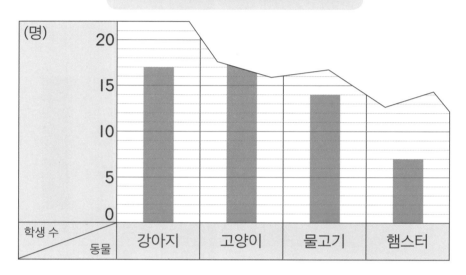

집에서 기르고 싶은 동물별 학생 수

기르고 싶은 학생 수가 가장 적은 동물은 무엇인가요?　(　　　　)

강아지를 기르고 싶은 학생은 물고기를 기르고 싶은 학생보다 몇 명 더 많은가요?　(　　　　)명

기르고 싶은 학생 수는 고양이가 햄스터의 **3**배입니다. 고양이를 기르고 싶은 학생은 몇 명인가요?　(　　　　)명

민서가 요일별로 운동한 시간을 나타낸 막대그래프의 일부분이 찢어졌습니다. 물음에
답하세요.

요일별 운동 시간

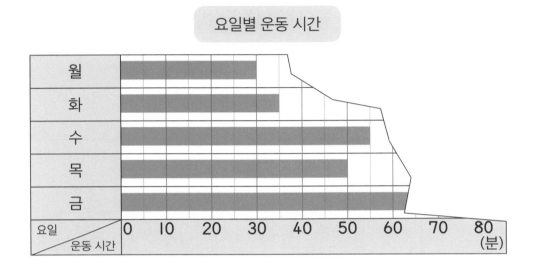

운동을 가장 많이 한 요일은 무슨 요일인가요?　　　　(　　　　)

목요일은 화요일보다 운동을 몇 분 더 많이 했나요?　　　　(　　　)분

금요일은 수요일보다 운동을 20분 더 많이 했습니다.
금요일에는 운동을 몇 분 했나요?　　　　(　　　)분

혈액형 조사하기

준서네 반 학생들의 혈액형을 조사한 자료입니다. 자료를 보고 표로 나타내고 막대그래프의 세로 눈금 한 칸이 얼마를 나타낼지 정하여 막대그래프로 나타내어 보세요.

학생들의 혈액형

A형	O형	A형	B형	AB형	AB형	A형
B형	O형	A형	O형	O형	A형	B형
AB형	A형	O형	A형	AB형	B형	A형
O형	A형	B형	B형	A형	B형	O형

혈액형별 학생 수

혈액형	A형	B형	O형	AB형	합계
학생 수(명)					

혈액형별 학생 수

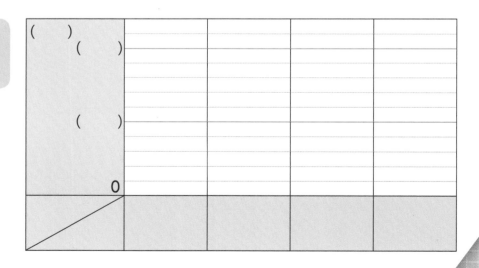

3주차

꺾은선그래프

태수가 기르는 강아지의 몸무게를 월별로 조사하여 나타낸 꺾은선그래프입니다. 빈칸에 알맞은 수 또는 말을 써넣으세요.

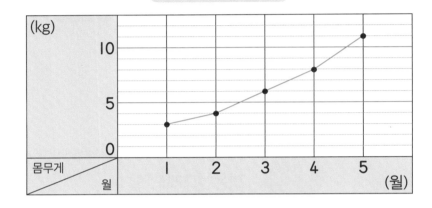

강아지의 몸무게

꺾은선그래프의 가로는 [   ], 세로는 [   ]를 나타냅니다.

세로 눈금 한 칸은 [   ]kg을 나타냅니다.

연속적으로 변화하는 양을 점으로 표시하고, 그 점들을 선분으로 이어 그린 그래프를 꺾은선 그래프라고 합니다. 꺾은선그래프는 변화하는 양을 알아보는 데 편리합니다.

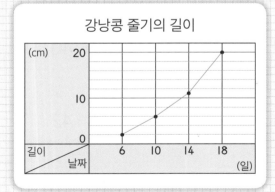

강낭콩 줄기의 길이

① 꺾은선그래프의 가로는 날짜, 세로는 길이를 나타냅니다.
② 꺾은선은 줄기 길이의 변화를 나타냅니다.
③ 세로 눈금 5칸이 10cm를 나타내므로 눈금 한 칸은 2cm를 나타냅니다.

전자제품 매장에서 팔린 에어컨을 월별로 조사하여 나타낸 꺾은선그래프입니다. 올바른 말에 ◯표, 틀린 말에 ✕표 하세요.

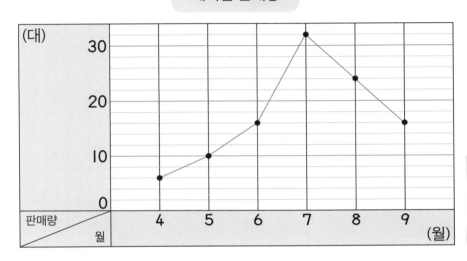

에어컨 판매량

선이 오른쪽 위로 기울어지면 판매량이 늘어난 것이고, 오른쪽 아래로 기울어지면 판매량이 줄어든 것입니다.

꺾은선그래프의 가로는 판매량, 세로는 월을 나타냅니다. ┈┈┈┈ (　　　)

꺾은선은 에어컨 판매량의 변화를 나타냅니다. ┈┈┈┈┈ (　　　)

세로 눈금 한 칸은 1대를 나타냅니다. ┈┈┈┈┈┈ (　　　)

에어컨 판매량을 1개월마다 조사하였습니다. ┈┈┈┈┈ (　　　)

4월부터 9월까지 에어컨 판매량은 계속 늘어났습니다. ┈┈┈ (　　　)

지희네 집 마당의 기온을 시간별로 조사하여 나타낸 꺾은선그래프입니다. 빈칸에 알맞은 수를 써넣으세요.

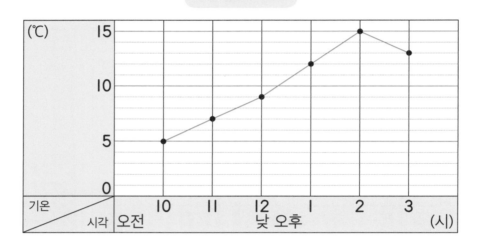

마당의 기온

낮 12시에 마당의 기온은 [ ]℃였습니다.

기온이 가장 높은 때는 오후 [ ]시이고, [ ]℃였습니다.

기온이 가장 낮은 때는 오전 [ ]시이고, [ ]℃였습니다.

오전 10시 30분에는 마당의 기온이 [ ]℃쯤이었을 것입니다.

오후 2시 30분에는 마당의 기온이 [ ]℃쯤이었을 것입니다.

양초에 불을 붙인 다음 양초의 길이를 10분마다 조사하여 나타낸 꺾은선그래프입니다.
물음에 답하세요.

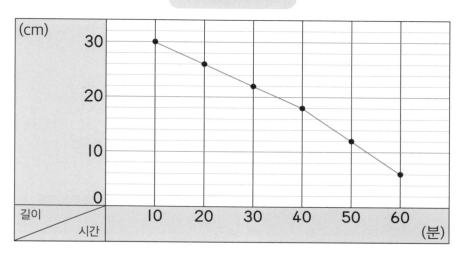

양초의 길이

불을 붙인 지 30분이 되었을 때 양초의 길이는 몇 cm였나요?

(   )cm

양초의 길이가 가장 짧은 때는 몇 분이 되었을 때이고, 몇 cm인가요?

(   )분 ,(   )cm

불을 붙인 지 15분이 되었을 때 양초의 길이는 몇 cm쯤이었을까요?

(   )cm쯤

햄버거 가게에서 팔린 햄버거 수를 요일별로 조사하여 나타낸 꺾은선그래프입니다. 빈칸에 알맞은 수 또는 말을 써넣으세요.

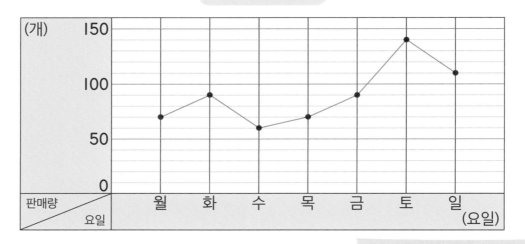

햄버거 판매량

선이 많이 기울어질수록 많이 변화한 것이고, 적게 기울어질수록 적게 변화한 것입니다.

화요일에 팔린 햄버거는 ☐ 개입니다.

화요일은 월요일과 비교하여 햄버거 판매량이 ☐ 개 늘어났습니다.

수요일은 화요일과 비교하여 햄버거 판매량이 ☐ 개 줄어들었습니다.

전날과 비교하여 햄버거 판매량이 가장 많이 변한 요일은 ☐ 요일입니다.

전날과 비교하여 햄버거 판매량이 가장 적게 변한 요일은 ☐ 요일입니다.

■ 재인이가 기르는 방울토마토 줄기의 길이를 2일마다 재어 나타낸 꺾은선그래프입니다.
물음에 답하세요.

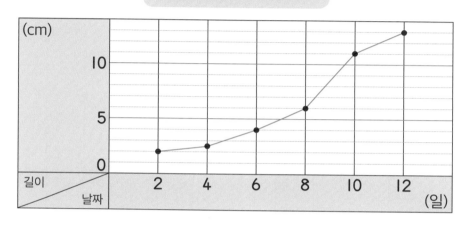

방울토마토 줄기의 길이

8일에는 6일보다 방울토마토 줄기가 몇 cm 더 많이 자랐나요?

( )cm

2일 전과 비교하여 방울토마토 줄기가 가장 많이 자란 날은 며칠인가요?

( )일

2일과 12일 사이에 방울토마토 줄기는 몇 cm 자랐나요?

( )cm

물결선이 있는 꺾은선그래프

성민이가 100 m 달리기를 한 기록을 주별로 재어 나타낸 꺾은선그래프입니다. 빈칸에 알맞은 수 또는 말을 써넣으세요.

(가) 100 m 달리기 기록

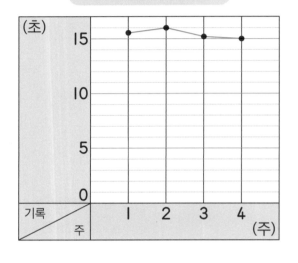

(나) 100 m 달리기 기록

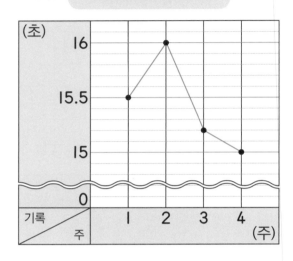

(가) 그래프의 세로 눈금 한 칸은 ⬜ 초를 나타냅니다.

(나) 그래프의 세로 눈금 한 칸은 ⬜ 초를 나타냅니다.

(가)와 (나) 중 기록의 변화를 더 잘 알아볼 수 있는 그래프는 (⬜)입니다.

3주에서 100 m 달리기 기록은 ⬜ 초입니다.

꺾은선그래프에서 눈금 한 칸이 나타내는 크기가 커서 변화하는 모습이 잘 보이지 않을 때 눈금 한 칸이 나타내는 크기를 줄여서 나타낼 수 있습니다.
이때 꺾은선그래프의 아래 부분에 **물결선**을 사용하여 필요 없는 부분을 줄입니다.

하은이가 사는 마을의 가구 수를 **2018**년부터 **2022**년까지 해마다 조사하여 나타낸 꺾은선그래프입니다. 물음에 답하세요.

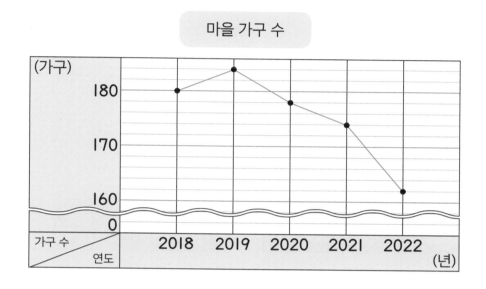

마을 가구 수

가구 수가 가장 많은 때는 몇 년이고, 몇 가구였나요?

( )년, ( )가구

2020년에는 **2019**년보다 가구 수가 몇 가구 줄었나요?

( )가구

전년과 비교하여 가구 수가 가장 많이 줄어든 때는 몇 년인가요?

( )년

2개의 꺾은선그래프

어느 지역의 비 온 날수와 같은 지역 어느 가게의 우산 판매량을 월별로 조사하여 나타낸 꺾은선그래프입니다. 물음에 답하세요.

비 온 날수

우산 판매량

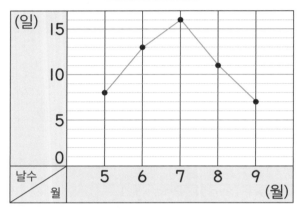

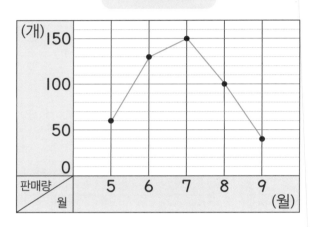

비 온 날수가 가장 많은 때는 몇 월이고, 비가 며칠 왔나요?

(   )월, (   )일

우산이 가장 적게 팔린 때는 몇 월이고, 몇 개 팔렸나요?

(   )월, (   )개

그래프가 어떻게 변하고 있는지 알맞은 말에 ◯표 하세요.

전달과 비교하여 비 온 날수가 많아지면 우산 판매량이 (늘어나고 , 줄어들고)

비 온 날수가 적어지면 우산 판매량이 (늘어납니다 , 줄어듭니다).

어느 지역의 **9월** 최고기온과 같은 지역 음료 가게의 유자차 판매량을 **5**일마다 조사하여 나타낸 꺾은선그래프입니다. 물음에 답하세요.

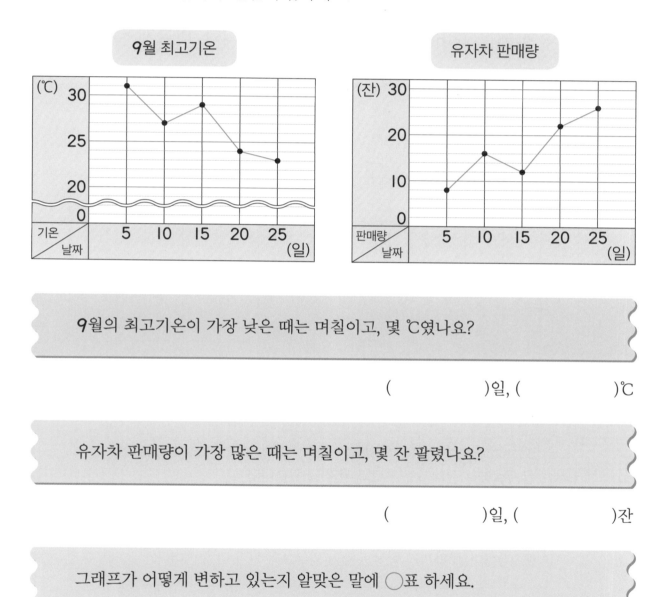

9월 최고기온

유자차 판매량

9월의 최고기온이 가장 낮은 때는 며칠이고, 몇 ℃였나요?

( )일, ( )℃

유자차 판매량이 가장 많은 때는 며칠이고, 몇 잔 팔렸나요?

( )일, ( )잔

그래프가 어떻게 변하고 있는지 알맞은 말에 ◯표 하세요.

5일 전과 비교하여 최고기온이 내려가면 유자차 판매량이 (늘어나고 , 줄어들고)

최고기온이 올라가면 유자차 판매량이 (늘어납니다 , 줄어듭니다).

키 비교하기

은채와 원우의 키를 재어 나타낸 꺾은선그래프입니다. 바르게 설명한 것의 기호를 모두 써 보세요.

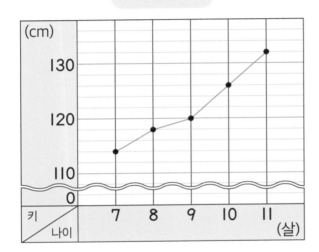

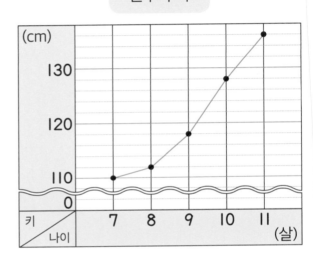

㉠ 7살에는 은채가 원우보다 키가 더 컸습니다.
㉡ 전년과 비교하여 원우의 키가 가장 많이 자란 때는 11살입니다.
㉢ 은채와 원우는 매년 키가 계속 자랐습니다.
㉣ 10살이 될 때까지 항상 은채가 원우보다 키가 더 컸습니다.

(,   )

4 주차

꺾은선그래프로 나타내기

여러 가지 자료를 주별로 조사하여 나타낸 표입니다. 표를 살펴보세요.

식물 줄기의 길이

주(주)	1	2	3	4
길이(cm)	1	3	8	19

현수의 달리기 기록

주(주)	1	2	3	4
기록(초)	15	14	14.5	14

11월 최고기온

주(주)	1	2	3	4
기온(℃)	17	18	13	12

사용한 연필의 길이

주(주)	1	2	3	4
길이(cm)	20	15	10	7

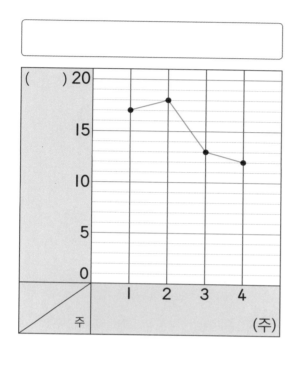

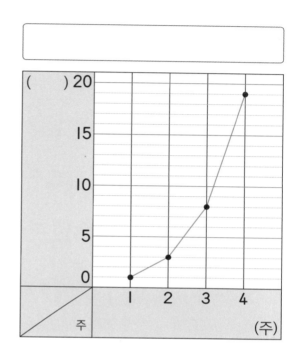

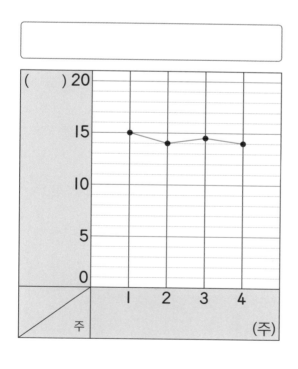

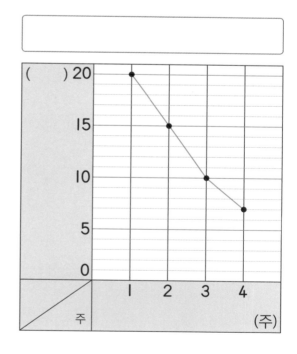

■ 왼쪽 표에 알맞은 꺾은선그래프를 찾아 제목과 그래프의 세로, 단위를 써넣으세요.

강아지의 몸무게를 월별로 조사하여 나타낸 표입니다. 표를 보고 빈칸에 알맞은 수 또는 말을 써넣고 꺾은선그래프를 완성해 보세요.

강아지의 몸무게

월(월)	1	2	3	4	5
몸무게(kg)	4	6	11	14	16

꺾은선그래프의 가로는 [   ], 세로는 [   ]를 나타냅니다.

세로 눈금 한 칸은 [ ] kg을 나타냅니다.

강아지의 몸무게

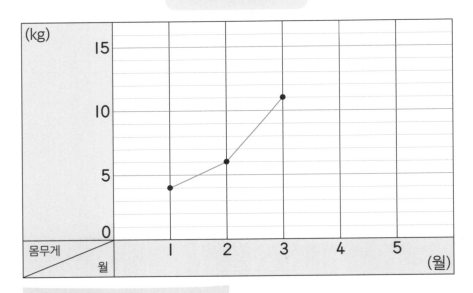

가로 눈금과 세로 눈금이 만나는 곳에 알맞게
점을 찍고 점들을 선분으로 잇습니다.

세현이네 초등학교 한 학급의 학생 수를 10년마다 조사하여 나타낸 표입니다. 표를 보고 빈칸에 알맞은 수 또는 말을 써넣고 꺾은선그래프를 완성해 보세요.

한 학급의 학생 수

연도(년)	1980	1990	2000	2010	2020
학생 수(명)	52	40	36	28	20

꺾은선그래프의 가로는 ☐, 세로는 ☐ 를 나타냅니다.

세로 눈금 한 칸은 ☐ 명을 나타냅니다.

한 학급의 학생 수

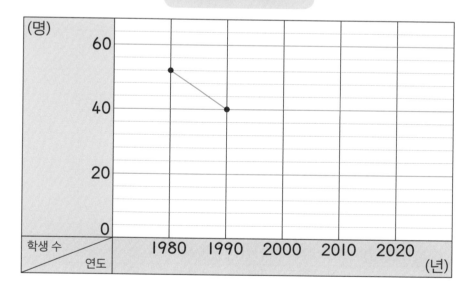

은서가 줄넘기를 넘은 횟수를 요일별로 조사하여 나타낸 표입니다. 표를 보고 빈칸에 알맞은 수 또는 말을 써넣고 꺾은선그래프를 완성해 보세요.

줄넘기를 넘은 횟수

요일(요일)	월	화	수	목	금
횟수(번)	72	80	92	88	100

꺾은선그래프의 가로는 [   ], 세로는 [   ]를 나타냅니다.

세로 눈금 한 칸은 [ ]번을 나타냅니다.

줄넘기를 넘은 횟수

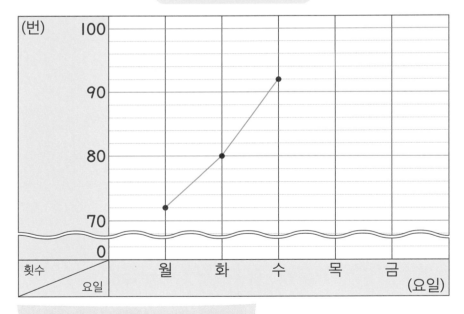

생략할 수 있는 값이 있을 때는 물결선을 사용합니다.

어느 가게에서 팔린 팥빙수를 월별로 조사하여 나타낸 표입니다. 표를 보고 빈칸에 알맞은 수 또는 말을 써넣고 꺾은선그래프를 완성해 보세요.

팥빙수 판매량

월(월)	5	6	7	8	9
판매량(그릇)	240	260	300	330	210

꺾은선그래프의 가로는 [   ], 세로는 [   ]을 나타냅니다.

세로 눈금 한 칸은 [   ]그릇을 나타냅니다.

팥빙수 판매량

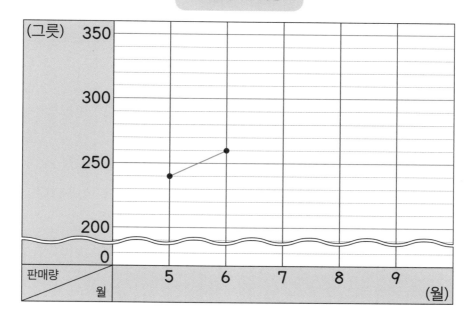

민준이는 학교 운동장의 기온을 시간별로 조사하여 표로 나타내었습니다. 표를 보고 꺾은선그래프로 나타내고 빈칸에 알맞은 수를 써넣으세요.

학교 운동장의 기온

시각	오전 11시	낮 12시	오후 1시	오후 2시	오후 3시	오후 4시
기온(℃)	9	12	16	17	14	12

학교 운동장의 기온

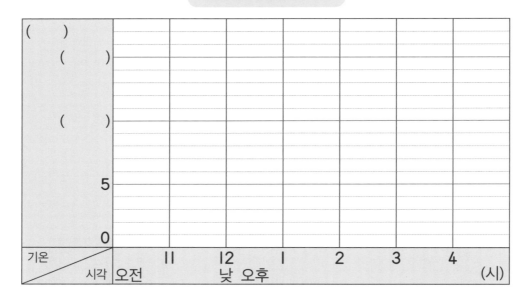

기온이 가장 높은 때는 오후 ☐시이고, ☐℃였습니다.

오후 12시 30분의 운동장 기온은 ☐℃쯤이었을 것입니다.

■ 어느 지역의 연도별 걷기 대회 참가자 수를 조사하여 표로 나타내었습니다. 표를 보고 꺾은선그래프로 나타내고 올바른 말에 ○표, 틀린 말에 ✕표 하세요.

걷기 대회 참가자 수

연도(년)	2016	2017	2018	2019	2020
참가자 수(명)	2200	2400	3000	3300	3400

걷기 대회 참가자 수

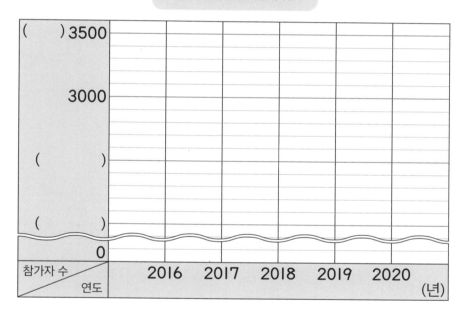

2017년에는 전년보다 참가자 수가 200명 늘었습니다. ⋯⋯⋯⋯⋯⋯⋯⋯ ( )

전년과 비교하여 참가자 수가 가장 많이 늘어난 해는 2019년입니다. ⋯⋯⋯ ( )

참가자 수는 해마다 계속 늘어났습니다. ⋯⋯⋯⋯⋯⋯⋯⋯⋯⋯⋯⋯⋯ ( )

표와 꺾은선그래프

표와 꺾은선그래프를 각각 완성해 보세요.

낮의 길이

월(월)	낮의 길이(시간)
4	13
6	15
8	13
10	
12	

낮의 길이

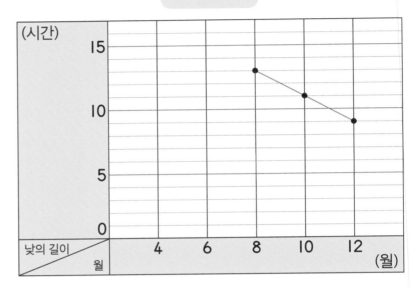

강낭콩 줄기의 길이

날짜(일)	길이(cm)
1	0.3
2	
3	1
4	
5	1.6

강낭콩 줄기의 길이

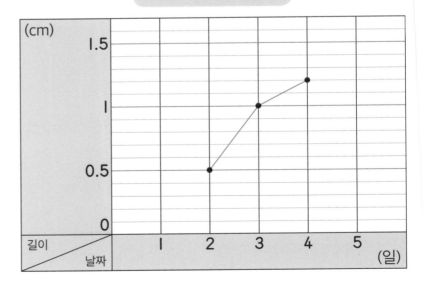

■ 표와 꺾은선그래프를 각각 완성해 보세요.

4학년 급식 잔반량

요일(요일)	잔반량(kg)
월	
화	
수	56
목	55
금	51

4학년 급식 잔반량

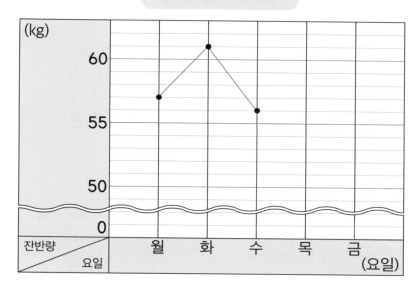

가 지역의 출생아 수

연도(년)	출생아 수(명)
2018	132
2019	124
2020	
2021	
2022	112

가 지역의 출생아 수

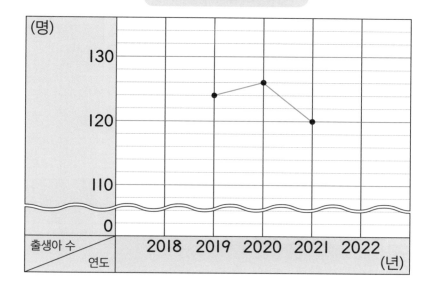

산불 발생 건수

윤하가 사는 지역의 월별 산불 발생 건수를 조사하여 표로 나타내었습니다.
표를 보고 꺾은선그래프로 나타내어 보세요.

산불 발생 건수

월(월)	1	2	3	4	5	6	7	8	9	10	11	12
건수(건)	7	4	12	19	8	3	1	2	1	6	2	5

산불 발생 건수

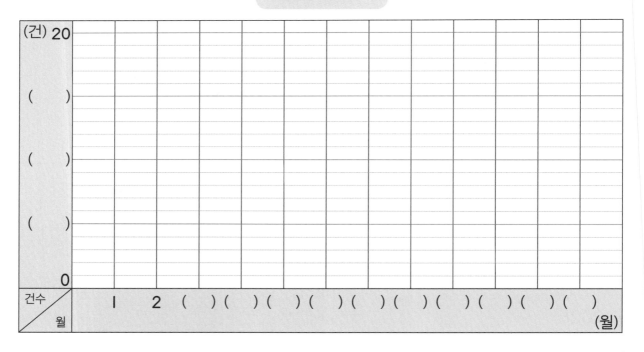

링크 두 가지 그래프

자료에 알맞은 그래프

어느 해 **7**월의 지역별 강수량과 같은 해 가 지역의 월별 강수량을 조사하여 나타낸 그래 프입니다. 올바른 말에 ○표, 틀린 말에 ✕표 하세요.

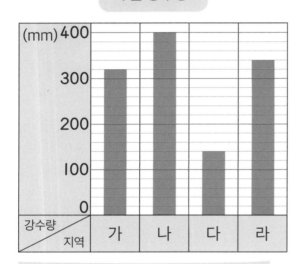

7월 강수량

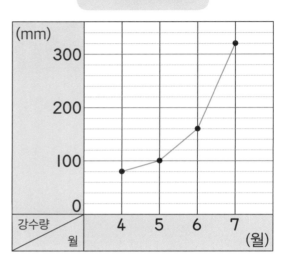

가 지역 강수량

자료의 양을 비교할 때는 막대그래프를 이용하고
자료의 변화를 알아볼 때는 꺾은선그래프를 이용합니다.

7월의 강수량은 나 지역이 가장 많았습니다. ─────────────── (　　　　)

가 지역의 강수량이 전월과 비교하여 가장 많이 늘어난 때는 **6**월입니다. ──── (　　　　)

7월에 가 지역은 라 지역보다 강수량이 더 많았습니다. ─────────── (　　　　)

4월부터 **7**월까지 가 지역의 강수량은 계속 늘어났습니다. ──────── (　　　　)

지온이네 학교의 어느 해 **3**학년부터 **6**학년까지 학년별 학생 수와 연도별 전체 학생 수를 조사하여 나타낸 그래프입니다. 올바른 말에 ◯표, 틀린 말에 ╳표 하세요.

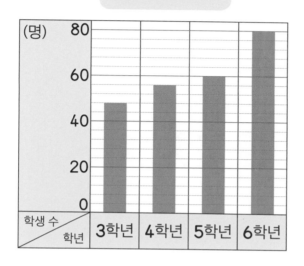

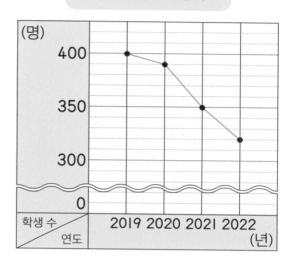

막대그래프에서 세로 눈금 한 칸은 **10**명을 나타냅니다. ································· (   )

2020년은 **2019**년과 비교하여 학생 수가 **10**명 줄어들었습니다.   (   )

전년과 비교하여 전체 학생 수가 가장 많이 줄어든 때는 **2021**년입니다. ······· (   )

해가 지날수록 전체 학생 수는 계속 늘어났습니다. ····························· (   )

LINK 2 막대그래프

한국 학생들과 외국 학생들이 좋아하는 한국 음식을 조사하여 나타낸 막대그래프입니다. 물음에 답하세요.

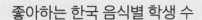

좋아하는 한국 음식별 학생 수

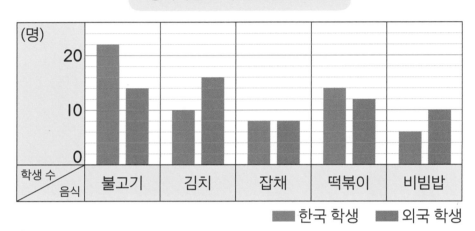

■ 한국 학생   ■ 외국 학생

불고기를 좋아하는 한국 학생과 외국 학생은 각각 몇 명인가요?

한국 학생 (   )명,   외국 학생 (   )명

한국 학생과 외국 학생이 가장 많이 좋아하는 음식은 각각 무엇인가요?

한국 학생 (   ),   외국 학생 (   )

한국 학생과 외국 학생이 같은 수만큼 좋아하는 음식은 무엇인가요?

(   )

정빈이네 학교 **4**학년과 **5**학년 학생들이 텃밭에 기르고 싶은 채소를 조사하여 나타낸 막대그래프입니다. 물음에 답하세요.

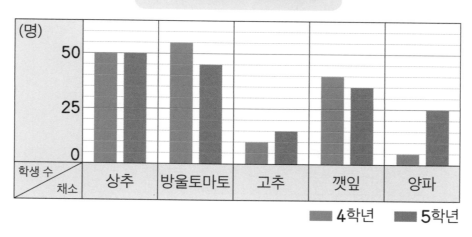

기르고 싶은 채소별 학생 수

방울토마토를 기르고 싶은 **4**학년과 **5**학년 학생은 각각 몇 명인가요?

4학년 (   )명,   5학년 (   )명

깻잎을 기르고 싶은 학생은 **4**학년이 **5**학년보다 몇 명 더 많은가요?

(   )명

양파를 기르고 싶은 학생은 **5**학년이 **4**학년보다 몇 명 더 많은가요?

(   )명

꺾은선그래프

■ 박물관에 방문한 한국 학생과 외국 학생을 요일별로 조사하여 나타낸 꺾은선그래프입니다. 물음에 답하세요.

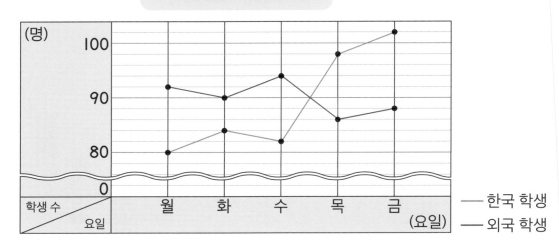

박물관을 방문한 학생 수

— 한국 학생
— 외국 학생

월요일에 박물관을 방문한 한국 학생과 외국 학생은 각각 몇 명이었나요?

한국 학생 (   )명,   외국 학생 (   )명

한국 학생과 외국 학생이 가장 많이 방문한 요일은 각각 무슨 요일이었나요?

한국 학생 (   ),   외국 학생 (   )

박물관에 한국 학생이 외국 학생보다 많이 방문한 요일을 모두 써 보세요.

(,   )

시현이와 종우의 몸무게를 해마다 조사하여 나타낸 꺾은선그래프입니다. 물음에 답하세요.

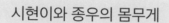

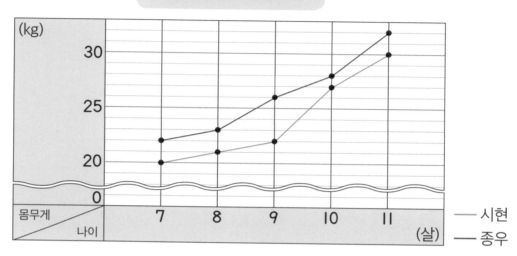

시현이와 종우의 몸무게가 전년과 비교하여 가장 많이 늘어난 때는 각각 몇 살이었나요?

시현 (   )살,   종우 (   )살

시현이와 종우의 몸무게 차이가 가장 많이 났을 때는 몇 살이었고, 몸무게는 몇 kg 차이났나요?

(   )살,   (   )kg

memo

형성평가

※ 지우네 학교에서 글짓기 대회에 참가한 학년별 학생 수를 조사하여 나타낸 막대그래프입니다. 물음에 답하세요. (**1~3**)

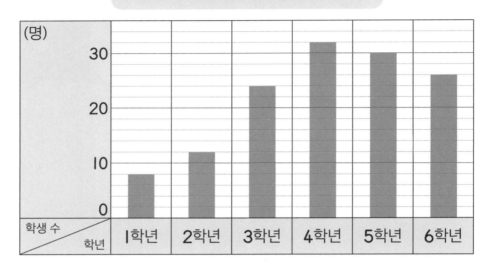

글짓기 대회에 참가한 학년별 학생 수

1 세로 눈금 한 칸은 몇 명을 나타낼까요?

(   )명

2 글짓기 대회에 가장 많이 참가한 학년은 몇 학년이고, 몇 명이 참가했을까요?

(   )학년, (   )명

3 글짓기 대회에 참가한 학생 수가 2학년의 2배인 학년은 몇 학년일까요?

(   )학년

※ 현성이가 공원의 기온을 2시간마다 조사하여 나타낸 꺾은선그래프입니다. 물음에 답하세요. (4~6)

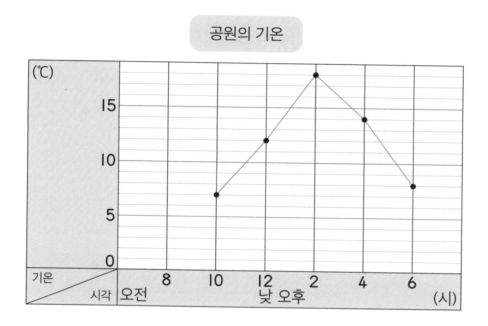

공원의 기온

4 기온이 가장 높은 때는 몇 시이고, 몇 ℃였을까요?

(   )시, (   )℃

5 오후 5시에 공원의 기온은 몇 ℃쯤이었을까요?

(   )℃

6 공원의 기온이 오전 8시에는 오전 10시보다 3℃ 더 낮았습니다. 위의 꺾은선그래프를 완성해 보세요.

※ 어느 음료 가게에서 팔린 허브차를 매월 조사하여 나타낸 꺾은선그래프입니다. 물음에 답하세요. (1~3)

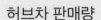

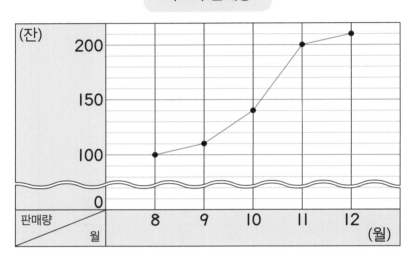

1 10월에는 허브차가 몇 잔 팔렸을까요?

( )잔

2 전달과 비교하여 허브차 판매량이 가장 많이 늘어난 때는 몇 월일까요?

( )월

3 허브차가 가장 많이 팔린 달은 가장 적게 팔린 달보다 몇 잔 더 많이 팔렸을까요?

( )잔

※ 가와 나 마을 사람들이 원하는 공원 산책로 꾸미기 방안을 조사하여 나타낸 막대그래프입니다. 물음에 답하세요. **(4~6)**

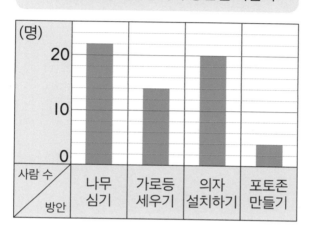

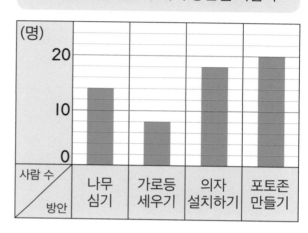

4 가와 나 마을에서 가장 많은 사람들이 원하는 산책로 꾸미기 방안은 각각 무엇일까요?

가 마을 (   ), 나 마을 (   )

5 나무 심기를 원하는 사람은 가 마을이 나 마을보다 몇 명 더 많을까요?

(   )명

6 가와 나 마을의 조사 결과를 모았을 때 가장 많은 사람들이 원하는 산책로 꾸미기 방안은 무엇일까요?

(   )

memo

초등 수학 핵심파트 집중 완성

교과특강

초4

D1

막대그래프, 꺾은선그래프

정답

사고력
문제해결력

측정·규칙성
자료와 가능성

정답

·······································

D1

막대그래프, 꺾은선그래프

1주차: 막대그래프

1일차 막대그래프 알기

월 일

■ 민호네 반 학생들이 좋아하는 계절을 조사하여 나타낸 막대그래프입니다. 빈칸에 알맞은 수 또는 말을 써넣으세요.

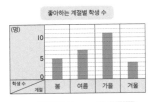

좋아하는 계절별 학생 수

막대그래프의 가로는 계절 , 세로는 학생 수 를 나타냅니다.

세로 눈금 한 칸은 1 명을 나타냅니다.
세로 눈금 5칸이 5명을 나타내므로 한 칸은 1명을 나타냅니다.

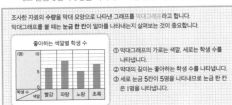

조사한 자료의 수량을 막대 모양으로 나타낸 그래프를 막대그래프라고 합니다.
막대그래프를 볼 때는 눈금 한 칸이 얼마를 나타내는지 살펴보는 것이 중요합니다.

좋아하는 색깔별 학생 수

① 막대그래프의 가로는 색깔, 세로는 학생 수를 나타냅니다.
② 막대의 길이는 좋아하는 학생 수를 나타냅니다.
③ 세로 눈금 5칸이 5명을 나타내므로 눈금 한 칸은 1명을 나타냅니다.

■ 어느 마을에서 일주일 동안 나온 재활용 쓰레기양을 조사하여 나타낸 막대그래프입니다. 빈칸에 알맞은 수 또는 말을 써넣으세요.

월 일

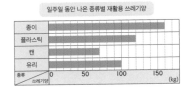

일주일 동안 나온 종류별 재활용 쓰레기양

막대그래프의 가로는 쓰레기양 , 세로는 종류 를 나타냅니다.

가로 눈금 한 칸은 10 kg을 나타냅니다.
가로 눈금 5칸이 50kg을 나타내므로 한 칸은 10kg을 나타냅니다.

캔은 가로 눈금 7칸만큼이므로 캔의 양은 70 kg입니다.

막대의 길이를 보면 종이 는 플라스틱보다 더 많이 나왔습니다.
막대의 길이는 종이가 플라스틱보다 더 깁니다.

막대의 길이를 보면 캔 은 유리보다 더 적게 나왔습니다.
막대의 길이는 캔이 유리보다 더 짧습니다.

2일차 수량 구하기

월 일

■ 주하네 반 학생들이 좋아하는 과일과 채소를 조사하여 나타낸 막대그래프입니다. 학생들이 좋아하는 과일과 채소별 학생 수를 각각 구해 보세요.

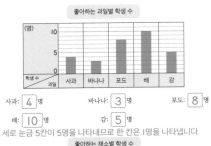

좋아하는 과일별 학생 수

사과: 4 명   바나나: 3 명   포도: 8 명

배: 10 명   감: 5 명

세로 눈금 5칸이 5명을 나타내므로 한 칸은 1명을 나타냅니다.

좋아하는 채소별 학생 수

오이: 4 명   시금치: 11 명   호박: 6 명

당근: 2 명   깻잎: 7 명

세로 눈금 5칸이 5명을 나타내므로 한 칸은 1명을 나타냅니다.

■ 샌드위치 가게에서 일주일 동안 팔린 샌드위치와 음료를 조사하여 나타낸 막대그래프입니다. 종류별 팔린 샌드위치와 음료 수를 각각 구해 보세요.

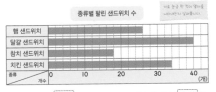

종류별 팔린 샌드위치 수

햄 샌드위치: 26 개   달걀 샌드위치: 40 개

참치 샌드위치: 18 개   치킨 샌드위치: 34 개

가로 눈금 5칸이 10개를 나타내므로 한 칸은 2개를 나타냅니다.

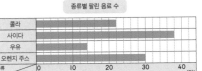

종류별 팔린 음료 수

콜라: 22 잔   사이다: 38 잔

우유: 14 잔   오렌지 주스: 30 잔

가로 눈금 5칸이 10잔을 나타내므로 한 칸은 2잔을 나타냅니다.

3일차 막대의 길이

은채네 학교 4학년 반별 학생 수를 조사하여 나타낸 막대그래프입니다. 올바른 말에 ○표, 틀린 말에 ✕표 하세요.

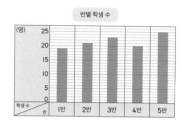

반별 학생 수

2반은 1반보다 학생 수가 더 많습니다. ─────── (○)

학생 수가 가장 많은 반은 5반입니다. ─────── (○)

학생 수가 가장 적은 반은 4반입니다. ─────── (✕)
               1반

2반보다 학생 수가 많은 반은 3반과 5반입니다. ── (○)

학생 수가 둘째로 많은 반은 2반입니다. ─────── (✕)
               3반

마을별 가구 수를 조사하여 나타낸 막대그래프입니다. 물음에 답하세요.

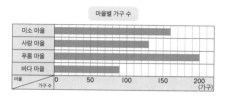

마을별 가구 수

미소 마을보다 가구 수가 많은 마을은 어느 마을인가요?

미소 마을보다 막대의 길이가 더 긴 마을을 찾습니다.   (푸름 마을)

가구 수가 둘째로 적은 마을은 어느 마을인가요?

막대의 길이를 보면 가구 수가 가장 적은 마을은
바다 마을, 둘째로 적은 마을은 사랑 마을입니다.   (사랑 마을)

가구 수가 가장 많은 마을부터 차례로 써 보세요.

(푸름 마을 , 미소 마을 , 사랑 마을 , 바다 마을)

4일차 수량 비교하기

유나네 학교 4학년 학생들이 여름 방학에 가고 싶은 장소를 조사하여 나타낸 막대그래프 입니다. 빈칸에 알맞은 수를 써넣으세요.

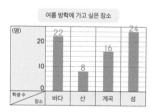

여름 방학에 가고 싶은 장소

바다에 가고 싶은 학생은 [22]명입니다.
세로 눈금 한 칸은 2명을 나타냅니다.

산과 계곡에 가고 싶은 학생을 더하면 [24]명입니다.
8+16=24(명)

섬에 가고 싶은 학생은 바다에 가고 싶은 학생보다 [2]명 더 많습니다.
24−22=2(명)

바다에 가고 싶은 학생은 계곡에 가고 싶은 학생보다 [6]명 더 많습니다.
22−16=6(명)

계곡에 가고 싶은 학생 수는 산에 가고 싶은 학생 수의 [2]배입니다.
16은 8의 2배입니다.

찬희가 요일별로 줄넘기를 넘은 횟수를 나타낸 막대그래프입니다. 물음에 답하세요.

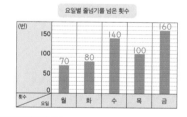

요일별 줄넘기를 넘은 횟수

목요일에는 화요일보다 줄넘기를 몇 번 더 많이 넘었나요?

세로 눈금 한 칸은 10번을 나타냅니다.   (20)번
100−80=20(번)

줄넘기를 넘은 횟수가 월요일의 2배인 요일은 무슨 요일인가요?

70×2=140(번), 140번을 넘은 요일은 수요일입니다.   (수요일)
                                               또는 수

줄넘기를 가장 많이 넘은 요일은 가장 적게 넘은 요일보다 몇 번 더 많이 넘었나요?

가장 많이 넘은 요일: 금요일, 가장 적게 넘은 요일: 월요일
160−70=90(번)   (90)번

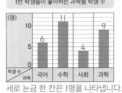

5일차 **2개의 막대그래프**

월 일

■ 하민이네 학교 4학년 1반과 2반 학생들이 좋아하는 과목을 조사하여 나타낸 막대그래프입니다. 물음에 답하세요.

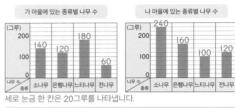

1반 학생들이 좋아하는 과목별 학생 수

2반 학생들이 좋아하는 과목별 학생 수

세로 눈금 한 칸은 1명을 나타냅니다.

1반에서 좋아하는 학생 수가 가장 많은 과목부터 차례로 써 보세요.

(수학 , 과학 , 국어 , 사회)

2반에서 좋아하는 학생 수가 가장 많은 과목부터 차례로 써 보세요.

(사회 , 국어 , 수학 , 과학)

1반과 2반의 조사 결과를 모았을 때 가장 많은 학생들이 좋아하는 과목은 무엇인가요?

국어: 6+9=15(명), 수학: 11+7=18(명),
사회: 4+10=14(명), 과학: 9+4=13(명)

(수학)

16 교과특강_D1

■ 가 마을과 나 마을에 있는 종류별 나무 수를 조사하여 나타낸 막대그래프입니다. 물음에 답하세요.

가 마을에 있는 종류별 나무 수

나 마을에 있는 종류별 나무 수

세로 눈금 한 칸은 20그루를 나타냅니다.

가 마을과 나 마을에서 가장 적은 나무는 각각 무엇이고, 몇 그루 있나요?

가 마을 (전나무), (60)그루
나 마을 (느티나무), (100)그루

가 마을에는 나 마을보다 느티나무가 몇 그루 더 많은가요?

180−100=80(그루)

(80)그루

나 마을에는 가 마을보다 소나무가 몇 그루 더 많은가요?

240−140=100(그루)

(100)그루

생각 더하기

걸리는 시간

현성이네 집에서 도서관까지 가는 데 이동 수단별 걸리는 시간을 조사하여 나타낸 막대그래프입니다. 바르게 설명한 것의 기호를 모두 써 보세요.

도서관까지 가는 데 이동 수단별 걸리는 시간

이동 수단	시간(분)
걷기	
버스	
택시	
자전거	

⊙ 도서관까지 버스를 타고 가면 20분보다 적게 걸립니다.
ⓒ 도서관까지 걸어서 가면 50분보다 많이 걸립니다.
ⓒ 버스는 자전거보다 도서관까지 가는 데 시간이 더 많이 걸립니다.
ⓔ 도서관까지 가는 데 걸리는 시간이 가장 적은 이동 수단은 택시입니다.

(ⓒ , ⓔ)

⊙ 버스를 타면 20분보다 조금 더 많이 걸립니다.
ⓒ 버스는 20분보다 조금 더 많이 걸리고, 자전거는 30분 걸리므로 자전거가 버스보다 걸리는 시간이 더 많습니다.

18 교과특강_D1

2주차: 막대그래프로 나타내기

1일차 막대그래프의 가로, 세로

우주네 반 학생들이 하고 싶은 방과 후 활동을 조사하여 나타낸 표입니다. 빈칸에 알맞은 수 또는 말을 써넣으세요.

학생들이 하고 싶은 방과 후 활동별 학생 수

활동	태권도	합창	컴퓨터	서예	합계
학생 수(명)	7	4	12	2	25

태권도를 하고 싶은 학생은 $\boxed{7}$ 명입니다.

오른쪽 막대그래프에서 세로(가로) 눈금 한 칸은 $\boxed{1}$ 명을 나타냅니다.

태권도를 하고 싶은 학생 수의 막대는 눈금 $\boxed{7}$ 칸만큼 그려야 합니다.

막대그래프의 가로에 활동을 나타내면 세로에는 $\boxed{\text{학생 수}}$ 를 나타내어야 합니다.

막대그래프의 가로에 학생 수를 나타내면 세로에는 $\boxed{\text{활동}}$ 을 나타내어야 합니다.

왼쪽 표를 보고 두 가지 막대그래프로 나타내어 보세요.

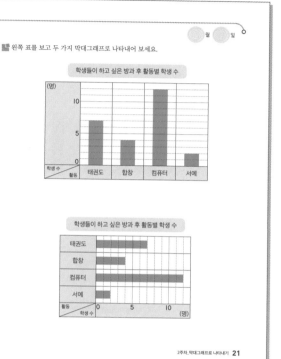

2일차 막대그래프 그리기

어느 전자제품 매장에서 한 달 동안 팔린 전자제품의 수를 조사하여 표로 나타내었습니다. 표를 보고 막대그래프로 나타내고 빈칸에 알맞은 말을 써넣으세요.

전자제품별 판매량

전자제품	노트북	텔레비전	휴대 전화	에어컨	냉장고	합계
판매량(대)	50	40	150	120	90	450

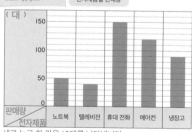

전자제품별 판매량

세로 눈금 한 칸은 10대를 나타냅니다.

가장 많이 팔린 전자제품은 $\boxed{\text{휴대 전화}}$ 입니다.

가장 적게 팔린 전자제품은 $\boxed{\text{텔레비전}}$ 입니다.

가, 나, 다, 라, 마 마을별 초등학생 수를 조사하여 표로 나타내었습니다. 표를 보고 막대그래프로 나타내고 빈칸에 알맞은 말을 써넣으세요.

마을별 초등학생 수

마을	가	나	다	라	마	합계
초등학생 수(명)	20	32	14	18	26	110

마을별 초등학생 수

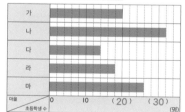

가로 눈금 한 칸은 2명을 나타냅니다.

가 마을보다 초등학생 수가 많은 마을은 $\boxed{\text{나}}$ 와 $\boxed{\text{마}}$ 마을입니다.

가 마을보다 초등학생 수가 적은 마을은 $\boxed{\text{다}}$ 와 $\boxed{\text{라}}$ 마을입니다.

3일차 표와 막대그래프

표와 막대그래프를 각각 완성해 보세요.

계절별 태어난 학생 수

계절	봄	여름	가을	겨울	합계
학생 수(명)	3	7	10	5	25

계절별 태어난 학생 수

세로 눈금 한 칸은 1명을 나타냅니다.

초등학생들이 원하는 직업별 학생 수

직업	의사	선생님	운동선수	요리사	합계
학생 수(명)	160	280	120	240	800

초등학생들이 원하는 직업별 학생 수

가로 눈금 한 칸은 20명을 나타냅니다.

표와 막대그래프를 각각 완성해 보세요.

달리기 대회에 참가한 4학년 반별 학생 수

반	1반	2반	3반	4반	합계
학생 수(명)	8	12	9	13	42

달리기 대회에 참가한 4학년 반별 학생 수

달리기 대회에 참가한 2반 학생 수는 42−8−9−13=12(명)입니다.
세로 눈금 한 칸은 1명을 나타내므로 알맞게 막대를 그립니다.

과일 가게에서 팔린 종류별 과일의 양

종류	사과	귤	배	포도	합계
과일의 양(kg)	30	24	20	16	90

과일 가게에서 팔린 종류별 과일의 양

팔린 포도의 양은 90−30−24−20=16(kg)입니다.
가로 눈금 한 칸은 2kg을 나타내므로 알맞게 막대를 그립니다.

4일차 조건과 막대그래프

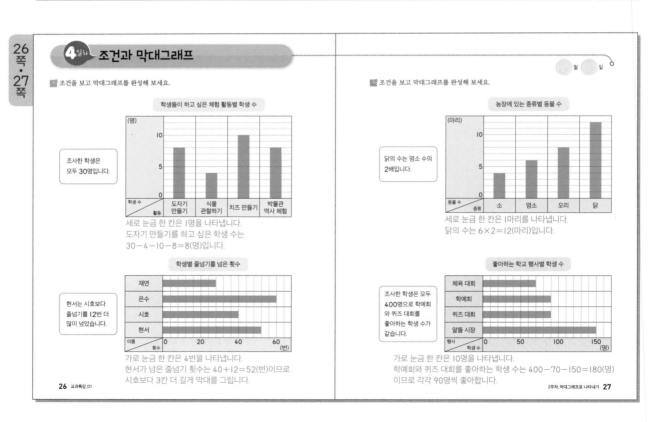

조건을 보고 막대그래프를 완성해 보세요.

학생들이 하고 싶은 체험 활동별 학생 수

조사한 학생은 모두 30명입니다.

세로 눈금 한 칸은 1명을 나타냅니다.
도자기 만들기를 하고 싶은 학생 수는
30−4−10−8=8(명)입니다.

학생별 줄넘기를 넘은 횟수

현서는 시호보다 줄넘기를 12번 더 많이 넘었습니다.

가로 눈금 한 칸은 4번을 나타냅니다.
현서가 넘은 줄넘기 횟수는 40+12=52(번)이므로
시호보다 3칸 더 길게 막대를 그립니다.

조건을 보고 막대그래프를 완성해 보세요.

농장에 있는 종류별 동물 수

닭의 수는 염소 수의 2배입니다.

세로 눈금 한 칸은 1마리를 나타냅니다.
닭의 수는 6×2=12(마리)입니다.

좋아하는 학교 행사별 학생 수

조사한 학생은 모두 400명으로 학예회와 퀴즈 대회를 좋아하는 학생 수가 같습니다.

가로 눈금 한 칸은 10명을 나타냅니다.
학예회와 퀴즈 대회를 좋아하는 학생 수는 400−70−150=180(명)
이므로 각각 90명씩 좋아합니다.

5일차 찢어진 막대그래프

■ 시윤이네 학교 4학년 학생들이 집에서 기르고 싶은 동물을 조사하여 나타낸 막대그래프의 일부분이 찢어졌습니다. 물음에 답하세요.

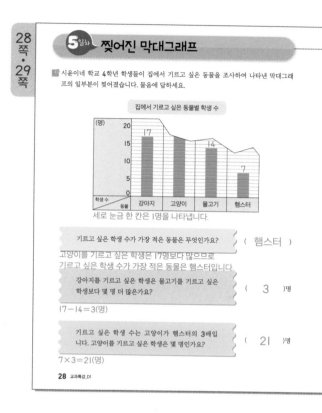

세로 눈금 한 칸은 1명을 나타냅니다.

기르고 싶은 학생 수가 가장 적은 동물은 무엇인가요? (햄스터)

고양이를 기르고 싶은 학생은 17명보다 많으므로
기르고 싶은 학생 수가 가장 적은 동물은 햄스터입니다.

강아지를 기르고 싶은 학생은 물고기를 기르고 싶은
학생보다 몇 명 더 많은가요? (3)명

17-14=3(명)

기르고 싶은 학생 수는 고양이가 햄스터의 3배입
니다. 고양이를 기르고 싶은 학생은 몇 명인가요? (21)명

7×3=21(명)

■ 민서가 요일별로 운동한 시간을 나타낸 막대그래프의 일부분이 찢어졌습니다. 물음에 답하세요.

월 □ 일

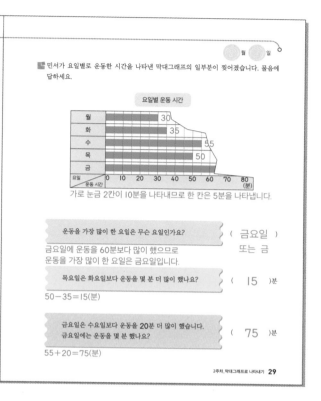

가로 눈금 2칸이 10분을 나타내므로 한 칸은 5분을 나타냅니다.

운동을 가장 많이 한 요일은 무슨 요일인가요? (금요일)
또는 금

금요일에 운동을 60분보다 많이 했으므로
운동을 가장 많이 한 요일은 금요일입니다.

목요일은 화요일보다 운동을 몇 분 더 많이 했나요? (15)분

50-35=15(분)

금요일은 수요일보다 운동을 20분 더 많이 했습니다.
금요일에는 운동을 몇 분 했나요? (75)분

55+20=75(분)

생각 ╋ 더하기

혈액형 조사하기

준서네 반 학생들의 혈액형을 조사한 자료입니다. 자료를 보고 표로 나타내고 막대그래프의 세로 눈금 한 칸이 얼마를 나타낼지 정하여 막대그래프로 나타내어 보세요.

학생들의 혈액형						
A형	O형	A형	B형	AB형	AB형	A형
B형	O형	A형	O형	O형	A형	B형
AB형	A형	O형	A형	AB형	B형	A형
O형	A형	B형	B형	A형	B형	O형

혈액형별 학생 수	혈액형	A형	B형	O형	AB형	합계
	학생 수(명)	10	7	7	4	28

혈액형별 학생 수

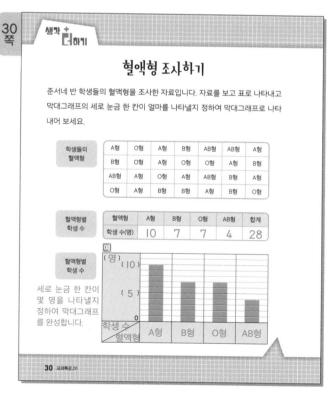

세로 눈금 한 칸이
몇 명을 나타낼지
정하여 막대그래프
를 완성합니다.

3주차: 꺾은선그래프

1일차 꺾은선그래프 알기

월 일

태수가 기르는 강아지의 몸무게를 월별로 조사하여 나타낸 꺾은선그래프입니다. 빈칸에 알맞은 수 또는 말을 써넣으세요.

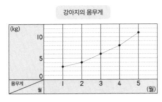

강아지의 몸무게

꺾은선그래프의 가로는 월 , 세로는 몸무게 를 나타냅니다.

세로 눈금 한 칸은 1 kg을 나타냅니다.
세로 눈금 5칸이 5kg을 나타내므로 한 칸은 1kg을 나타냅니다.

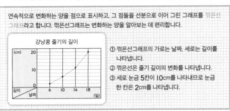

연속적으로 변화하는 양을 점으로 표시하고, 그 점들을 선분으로 이어 그린 그래프를 꺾은선 그래프라고 합니다. 꺾은선그래프는 변화하는 양을 알아보는 데 편리합니다.

강낭콩 줄기의 길이

① 꺾은선그래프의 가로는 날짜, 세로는 길이를 나타냅니다.
② 꺾은선은 줄기 길이의 변화를 나타냅니다.
③ 세로 눈금 5칸이 10cm를 나타내므로 눈금 한 칸은 2cm를 나타냅니다.

전자제품 매장에서 팔린 에어컨을 월별로 조사하여 나타낸 꺾은선그래프입니다. 올바른 말에 ○표, 틀린 말에 ✕표 하세요.

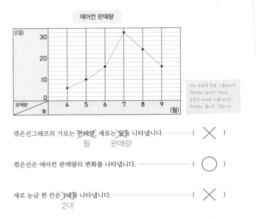

에어컨 판매량

꺾은선그래프의 가로는 ~~판매량~~, 세로는 ~~월~~을 나타냅니다. (✕)
　　　　　　　　　　　　월　　　　　판매량

꺾은선은 에어컨 판매량의 변화를 나타냅니다. ─── (○)

세로 눈금 한 칸은 ~~1대~~를 나타냅니다. ─── (✕)
　　　　　　　2대

에어컨 판매량을 1개월마다 조사하였습니다. ─── (○)

4월부터 9월까지 에어컨 판매량은 계속 늘어났습니다. (✕)
에어컨 판매량은 4월부터 7월까지 늘어났고
7월부터 9월까지 줄어들었습니다.

2일차 수량 구하기

월 일

지희네 집 마당의 기온을 시간별로 조사하여 나타낸 꺾은선그래프입니다. 빈칸에 알맞은 수를 써넣으세요.

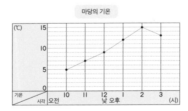

마당의 기온

낮 12시에 마당의 기온은 9 ℃였습니다.
세로 눈금 한 칸은 1℃를 나타냅니다.

기온이 가장 높은 때는 오후 2 시이고, 15 ℃였습니다.

기온이 가장 낮은 때는 오전 10 시이고, 5 ℃였습니다.

오전 10시 30분에는 마당의 기온이 6 ℃쯤이었을 것입니다.
오전 10시와 오전 11시를 이은 선분의 가운데 값인 6℃쯤이었을 것입니다.

오후 2시 30분에는 마당의 기온이 14 ℃이었을 것입니다.
오후 2시와 오후 3시를 이은 선분의 가운데 값인 14℃쯤이었을 것입니다.

양초에 불을 붙인 다음 양초의 길이를 10분마다 조사하여 나타낸 꺾은선그래프입니다. 물음에 답하세요.

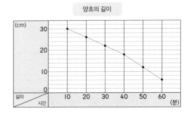

양초의 길이

불을 붙인 지 30분이 되었을 때 양초의 길이는 몇 cm였나요?

세로 눈금 한 칸은 2cm를 나타냅니다.
(22)cm

양초의 길이가 가장 짧은 때는 몇 분이 되었을 때이고, 몇 cm인가요?

양초의 길이는 불을 붙인 후 계속 짧아졌습니다.
(60)분, (6)cm

불을 붙인 지 15분이 되었을 때 양초의 길이는 몇 cm쯤이었을까요?

10분과 20분을 이은 선분의 가운데 값인 28cm쯤 이었을 것입니다.
(28)cm쯤

3^{일차} 변화량 구하기

햄버거 가게에서 팔린 햄버거 수를 요일별로 조사하여 나타낸 꺾은선그래프입니다.
빈칸에 알맞은 수 또는 말을 써넣으세요.

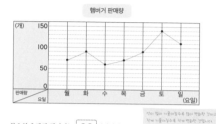

화요일에 팔린 햄버거는 **90** 개입니다.
세로 눈금 한 칸은 10개를 나타냅니다.

화요일은 월요일과 비교하여 햄버거 판매량이 **20** 개 늘어났습니다.
90−70=20(개) (눈금이 2칸 차이나므로 20개 늘어났습니다.)

수요일은 화요일과 비교하여 햄버거 판매량이 **30** 개 줄어들었습니다.
90−60=30(개) (눈금이 3칸 차이나므로 30개 줄어들었습니다.)

전날과 비교하여 햄버거 판매량이 가장 많이 변한 요일은 **토** 요일입니다.
금요일과 토요일 사이에 선이 가장 많이 기울어졌습니다.

전날과 비교하여 햄버거 판매량이 가장 적게 변한 요일은 **목** 요일입니다.
수요일과 목요일 사이에 선이 가장 적게 기울어졌습니다.

재인이가 기르는 방울토마토 줄기의 길이를 2일마다 재어 나타낸 꺾은선그래프입니다.
물음에 답하세요.

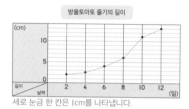

세로 눈금 한 칸은 1cm를 나타냅니다.

8일에는 6일보다 방울토마토 줄기가 몇 cm 더 많이 자랐나요?
6−4=2(cm)
(눈금이 2칸 차이나므로 2cm 자랐습니다.)
(**2**)cm

2일 전과 비교하여 방울토마토 줄기가 가장 많이 자란 날은 며칠인가요?
8일과 10일 사이에 선이 가장 많이 기울어졌습니다.
(**10**)일

2일과 12일 사이에 방울토마토 줄기는 몇 cm 자랐나요?
13−2=11(cm)
(**11**)cm

4^{일차} 물결선이 있는 꺾은선그래프

성민이가 100m 달리기를 한 기록을 주별로 재어 나타낸 꺾은선그래프입니다. 빈칸에
알맞은 수 또는 말을 써넣으세요.

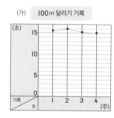
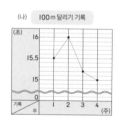

(가) 그래프의 세로 눈금 한 칸은 **1** 초를 나타냅니다.

(나) 그래프의 세로 눈금 한 칸은 **0.1** 초를 나타냅니다.

(가)와 (나) 중 기록의 변화를 더 잘 알아볼 수 있는 그래프는 (**나**)입니다.

3주에서 100m 달리기 기록은 **15.2** 초입니다.

꺾은선그래프에서 눈금 한 칸이 나타내는 크기가 커서 변화하는 모습이 잘 보이지 않을 때
눈금 한 칸이 나타내는 크기를 줄여서 나타낼 수 있습니다.
이때 꺾은선그래프의 아래 부분에 **물결선**을 사용하여 필요 없는 부분을 줄입니다.

하은이가 사는 마을의 가구 수를 2018년부터 2022년까지 해마다 조사하여 나타낸
꺾은선그래프입니다. 물음에 답하세요.

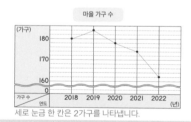

세로 눈금 한 칸은 2가구를 나타냅니다.

가구 수가 가장 많은 때는 몇 년이고, 몇 가구였나요?
(**2019**)년, (**184**)가구

2020년에는 2019년보다 가구 수가 몇 가구 줄었나요?
184−178=6(가구)
(눈금이 3칸 차이나므로 6가구 줄었습니다.)
(**6**)가구

전년과 비교하여 가구 수가 가장 많이 줄어든 때는 몇 년인가요?
2021년과 2022년 사이에 선이 가장 많이
기울어졌습니다.
(**2022**)년

5일차 2개의 꺾은선그래프

일 일

■ 어느 지역의 비 온 날수와 같은 지역 어느 가게의 우산 판매량을 월별로 조사하여 나타낸 꺾은선그래프입니다. 물음에 답하세요.

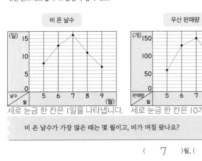

비 온 날수

우산 판매량

세로 눈금 한 칸은 1일을 나타냅니다.   세로 눈금 한 칸은 10개를 나타냅니다.

비 온 날수가 가장 많은 때는 몇 월이고, 비가 며칠 왔나요?

(7)월, (16)일

우산이 가장 적게 팔린 때는 몇 월이고, 몇 개 팔렸나요?

(9)월, (40)개

그래프가 어떻게 변하고 있는지 알맞은 말에 ○표 하세요.

전달과 비교하여 비 온 날수가 많아지면 우산 판매량이 (늘어나고 , 줄어들고)

비 온 날수가 적어지면 우산 판매량이 (늘어납니다 , 줄어듭니다).

■ 어느 지역의 9월 최고기온과 같은 지역 음료 가게의 유자차 판매량을 5일마다 조사하여 나타낸 꺾은선그래프입니다. 물음에 답하세요.

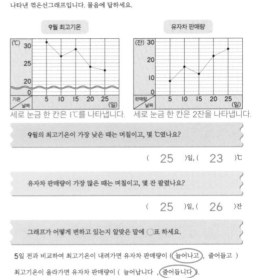

9월 최고기온

유자차 판매량

세로 눈금 한 칸은 1℃를 나타냅니다.   세로 눈금 한 칸은 2잔을 나타냅니다.

9월의 최고기온이 가장 낮은 때는 며칠이고, 몇 ℃였나요?

(25)일, (23)℃

유자차 판매량이 가장 많은 때는 며칠이고, 몇 잔 팔렸나요?

(25)일, (26)잔

그래프가 어떻게 변하고 있는지 알맞은 말에 ○표 하세요.

5일 전과 비교하여 최고기온이 내려가면 유자차 판매량이 (늘어나고 , 줄어들고)

최고기온이 올라가면 유자차 판매량이 (늘어납니다 , 줄어듭니다).

생각 더하기

키 비교하기

은채와 원우의 키를 재어 나타낸 꺾은선그래프입니다. 바르게 설명한 것의 기호를 모두 써 보세요.

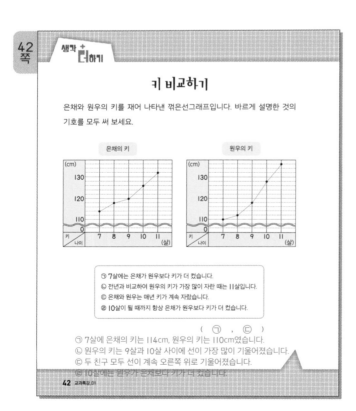

은채의 키

원우의 키

┌─────────────────────────────────────┐
│ ㉠ 7살에는 은채가 원우보다 키가 더 컸습니다.   │
│ ㉡ 전년과 비교하여 원우의 키가 가장 많이 자란 때는 11살입니다. │
│ ㉢ 은채와 원우는 매년 키가 계속 자랐습니다.   │
│ ㉣ 10살이 될 때까지 항상 은채가 원우보다 키가 더 컸습니다. │
└─────────────────────────────────────┘

(㉠ , ㉢)

㉠ 7살에 은채의 키는 114cm, 원우의 키는 110cm였습니다.

㉡ 원우의 키는 9살과 10살 사이에 선이 가장 많이 기울어졌습니다.

㉢ 두 친구 모두 선이 계속 오른쪽 위로 기울어졌습니다.

㉣ 10살에는 원우가 은채보다 키가 더 컸습니다.

4주차: 꺾은선그래프로 나타내기

1일차 꺾은선그래프 찾기

여러 가지 자료를 주별로 조사하여 나타낸 표입니다. 표를 살펴보세요.

왼쪽 표에 알맞은 꺾은선그래프를 찾아 제목과 그래프의 세로, 단위를 써넣으세요.

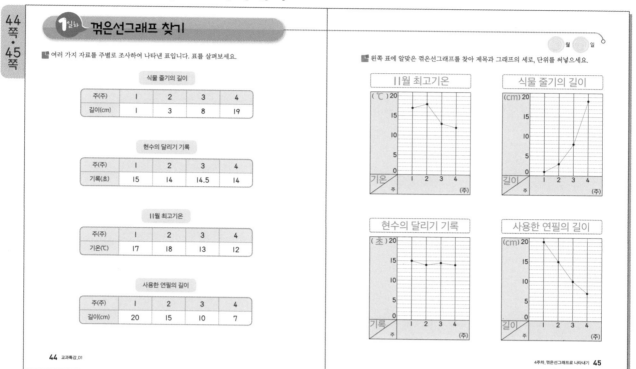

식물 줄기의 길이

주(주)	1	2	3	4
길이(cm)	1	3	8	19

현수의 달리기 기록

주(주)	1	2	3	4
기록(초)	15	14	14.5	14

11월 최고기온

주(주)	1	2	3	4
기온(℃)	17	18	13	12

사용한 연필의 길이

주(주)	1	2	3	4
길이(cm)	20	15	10	7

2일차 꺾은선그래프 완성하기 (1)

강아지의 몸무게를 월별로 조사하여 나타낸 표입니다. 표를 보고 빈칸에 알맞은 수 또는 말을 써넣고 꺾은선그래프를 완성해 보세요.

세현이네 초등학교 한 학급의 학생 수를 10년마다 조사하여 나타낸 표입니다. 표를 보고 빈칸에 알맞은 수 또는 말을 써넣고 꺾은선그래프를 완성해 보세요.

강아지의 몸무게

월(월)	1	2	3	4	5
몸무게(kg)	4	6	11	14	16

꺾은선그래프의 가로는 [월], 세로는 [몸무게]를 나타냅니다.

세로 눈금 한 칸은 [1]kg을 나타냅니다.

한 학급의 학생 수

연도(년)	1980	1990	2000	2010	2020
학생 수(명)	52	40	36	28	20

꺾은선그래프의 가로는 [연도], 세로는 [학생 수]를 나타냅니다.

세로 눈금 한 칸은 [4]명을 나타냅니다.

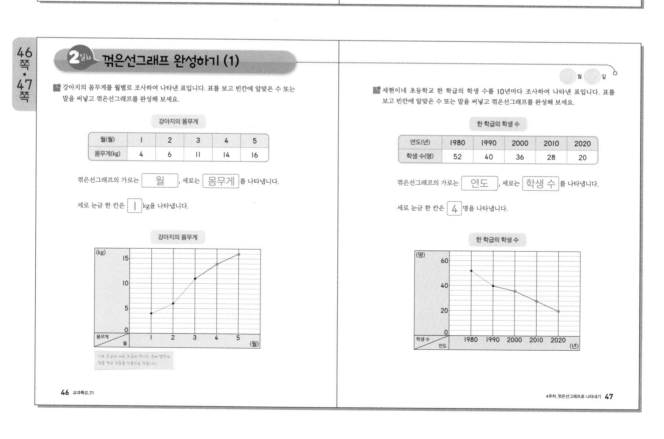

정답 **11**

3일차 꺾은선그래프 완성하기 (2)

🔎 은서가 줄넘기를 넘은 횟수를 요일별로 조사하여 나타낸 표입니다. 표를 보고 빈칸에 알맞은 수 또는 말을 써넣고 꺾은선그래프를 완성해 보세요.

줄넘기를 넘은 횟수

요일(요일)	월	화	수	목	금
횟수(번)	72	80	92	88	100

꺾은선그래프의 가로는 [요일], 세로는 [횟수]를 나타냅니다.

세로 눈금 한 칸은 [2]번을 나타냅니다.

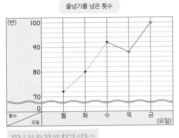

줄넘기를 넘은 횟수

생략할 수 있는 값이 있을 때는 물결선을 사용합니다.

🔎 어느 가게에서 팔린 팥빙수를 월별로 조사하여 나타낸 표입니다. 표를 보고 빈칸에 알맞은 수 또는 말을 써넣고 꺾은선그래프를 완성해 보세요.

팥빙수 판매량

월(월)	5	6	7	8	9
판매량(그릇)	240	260	300	330	210

꺾은선그래프의 가로는 [월], 세로는 [판매량]을 나타냅니다.

세로 눈금 한 칸은 [10]그릇을 나타냅니다.

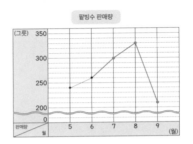

팥빙수 판매량

4일차 꺾은선그래프 그리기

🔎 민준이는 학교 운동장의 기온을 시간별로 조사하여 표로 나타내었습니다. 표를 보고 꺾은선그래프로 나타내고 빈칸에 알맞은 수를 써넣으세요.

학교 운동장의 기온

시각	오전 11시	낮 12시	오후 1시	오후 2시	오후 3시	오후 4시
기온(℃)	9	12	16	17	14	12

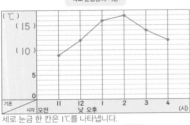

학교 운동장의 기온

세로 눈금 한 칸은 1℃를 나타냅니다.

기온이 가장 높은 때는 오후 [2]시이고, [17]℃였습니다.

오후 12시 30분의 운동장 기온은 [14]℃쯤이었을 것입니다.

낮 12시와 오후 1시를 이은 선분의 가운데 값인 14℃쯤이었을 것입니다.

🔎 어느 지역의 연도별 걷기 대회 참가자 수를 조사하여 표로 나타냈습니다. 표를 보고 꺾은선그래프로 나타내고 올바른 말에 ◯표, 틀린 말에 ✕표 하세요.

걷기 대회 참가자 수

연도(년)	2016	2017	2018	2019	2020
참가자 수(명)	2200	2400	3000	3300	3400

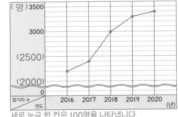

걷기 대회 참가자 수

세로 눈금 한 칸은 100명을 나타냅니다.

2017년에는 전년보다 참가자 수가 200명 늘었습니다. (◯)

전년과 비교하여 참가자 수가 가장 많이 늘어난 해는 2019년입니다. (✕)
2017년과 2018년 사이에 선이 가장 많이 기울어졌습니다.

참가자 수는 해마다 계속 늘어났습니다. (◯)

5일차 표와 꺾은선그래프

표와 꺾은선그래프를 각각 완성해 보세요.

표와 꺾은선그래프를 각각 완성해 보세요.

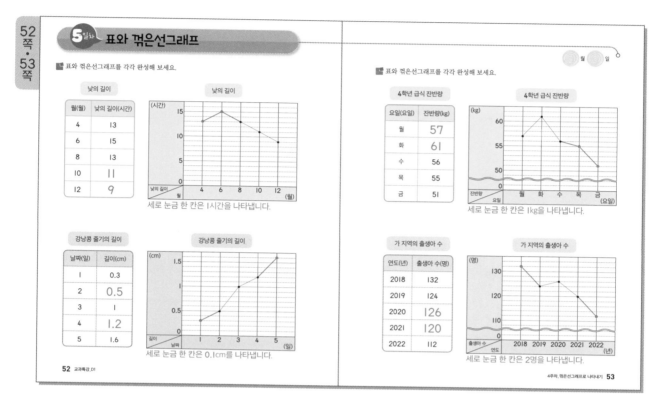

낮의 길이

월(월)	낮의 길이(시간)
4	13
6	15
8	13
10	11
12	9

낮의 길이

세로 눈금 한 칸은 1시간을 나타냅니다.

강낭콩 줄기의 길이

날짜(일)	길이(cm)
1	0.3
2	0.5
3	1
4	1.2
5	1.6

강낭콩 줄기의 길이

세로 눈금 한 칸은 0.1cm를 나타냅니다.

4학년 급식 잔반량

요일(요일)	잔반량(kg)
월	57
화	61
수	56
목	55
금	51

4학년 급식 잔반량

세로 눈금 한 칸은 1kg을 나타냅니다.

가 지역의 출생아 수

연도(년)	출생아 수(명)
2018	132
2019	124
2020	126
2021	120
2022	112

가 지역의 출생아 수

세로 눈금 한 칸은 2명을 나타냅니다.

생각 + 더하기

산불 발생 건수

윤하가 사는 지역의 월별 산불 발생 건수를 조사하여 표로 나타내었습니다.
표를 보고 꺾은선그래프로 나타내어 보세요.

산불 발생 건수

월(월)	1	2	3	4	5	6	7	8	9	10	11	12
건수(건)	7	4	12	19	8	3	1	2	1	6	2	5

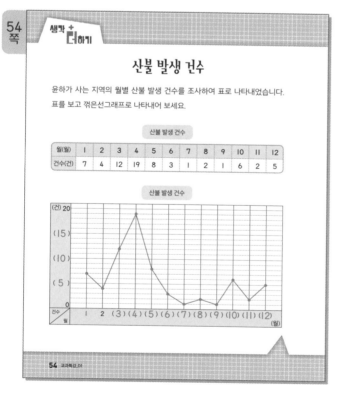

산불 발생 건수

링크: 두 가지 그래프

LINK 1 자료에 알맞은 그래프

⬜ 어느 해 7월의 지역별 강수량과 같은 해 가 지역의 월별 강수량을 조사하여 나타낸 그래프입니다. 올바른 말에 ◯표, 틀린 말에 ✕표 하세요.

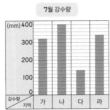

7월 강수량

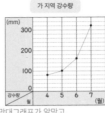

가 지역 강수량

지역별 강수량을 서로 비교할 때는 막대그래프가 알맞고,
한 지역의 강수량 변화를 살펴볼 때는 꺾은선그래프가 알맞습니다.

7월의 강수량은 나 지역이 가장 많았습니다. ──────── (◯)
막대그래프를 보면 나 지역의 막대 길이가 가장 깁니다.

가 지역의 강수량이 전월과 비교하여 가장 많이 늘어난 때는 6월입니다. ─ (✕)
꺾은선그래프를 보면 6월과 7월 사이에 선이 가장 많이 기울어졌습니다.

7월에 가 지역은 라 지역보다 강수량이 더 많았습니다. ──────── (✕)
막대그래프를 보면 라 지역이 가 지역보다 강수량이 더 많았습니다.

4월부터 7월까지 가 지역의 강수량은 계속 늘어났습니다. ──── (◯)
꺾은선그래프가 계속 오른쪽 위로 기울어졌으므로
강수량은 계속 늘어났습니다.

⬜ 지온이네 학교의 어느 해 3학년부터 6학년까지 학년별 학생 수와 연도별 전체 학생 수를 조사하여 나타낸 그래프입니다. 올바른 말에 ◯표, 틀린 말에 ✕표 하세요.

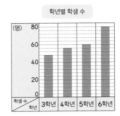

학년별 학생 수

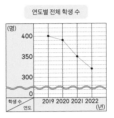

연도별 전체 학생 수

막대그래프에서 세로 눈금 한 칸은 10명을 나타냅니다. ──────── (✕)
　　　　　　　　　　　　　　　　　4명

2020년은 2019년과 비교하여 학생 수가 10명 줄어들었습니다. ──── (◯)
꺾은선그래프의 세로 눈금 한 칸은 10명을 나타냅니다.

전년과 비교하여 전체 학생 수가 가장 많이 줄어든 때는 2021년입니다. ─ (◯)
2020년과 2021년 사이에 선이 가장 많이 기울어졌습니다.

해가 지날수록 전체 학생 수는 계속 늘어납니다. ──────── (✕)
꺾은선그래프가 계속 오른쪽 아래로 기울어졌으므로
전체 학생 수는 계속 줄어들었습니다.

LINK 2 막대그래프

⬜ 한국 학생들과 외국 학생들이 좋아하는 한국 음식을 조사하여 나타낸 막대그래프입니다. 물음에 답하세요.

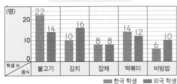

좋아하는 한국 음식별 학생 수

■ 한국 학생　■ 외국 학생

세로 눈금 한 칸은 2명을 나타냅니다.

불고기를 좋아하는 한국 학생과 외국 학생은 각각 몇 명인가요?

한국 학생 (22)명, 외국 학생 (14)명

한국 학생과 외국 학생이 가장 많이 좋아하는 음식은 각각 무엇인가요?

한국 학생 (불고기), 외국 학생 (김치)

한국 학생과 외국 학생이 같은 수만큼 좋아하는 음식은 무엇인가요?

잡채는 한국 학생과 외국 학생이 각각 8명씩 좋아합니다. (잡채)

⬜ 정빈이네 학교 4학년과 5학년 학생들이 텃밭에 기르고 싶은 채소를 조사하여 나타낸 막대그래프입니다. 물음에 답하세요.

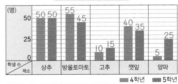

기르고 싶은 채소별 학생 수

■ 4학년　■ 5학년

세로 눈금 한 칸은 5명을 나타냅니다.

방울토마토를 기르고 싶은 4학년과 5학년 학생은 각각 몇 명인가요?

4학년 (55)명, 5학년 (45)명

깻잎을 기르고 싶은 학생은 4학년이 5학년보다 몇 명 더 많은가요?

$40-35=5$(명)
막대 길이가 한 칸 차이나므로 5명 더 많습니다. (5)명

양파를 기르고 싶은 학생은 5학년이 4학년보다 몇 명 더 많은가요?

$25-5=20$(명)
막대 길이가 네 칸 차이나므로 20명 더 많습니다. (20)명

LINK 3 꺾은선그래프

박물관에 방문한 한국 학생과 외국 학생을 요일별로 조사하여 나타낸 꺾은선그래프입니다. 물음에 답하세요.

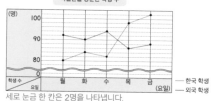

박물관을 방문한 학생 수

세로 눈금 한 칸은 2명을 나타냅니다.

월요일에 박물관을 방문한 한국 학생과 외국 학생은 각각 몇 명이었나요?

한국 학생 (80)명, 외국 학생 (92)명

한국 학생과 외국 학생이 가장 많이 방문한 요일은 각각 무슨 요일이었나요?

한국 학생 (금요일), 외국 학생 (수요일)
또는 금   또는 수

박물관에 한국 학생이 외국 학생보다 많이 방문한 요일을 모두 써 보세요.

빨간색 선이 보라색 선보다 더 위에 있는 (목요일 , 금요일)
요일은 목요일, 금요일입니다.   또는 목, 금

시현이와 종우의 몸무게를 해마다 조사하여 나타낸 꺾은선그래프입니다. 물음에 답하세요.

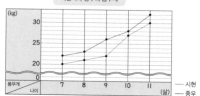

시현이와 종우의 몸무게

세로 눈금 한 칸은 1kg을 나타냅니다.

시현이와 종우의 몸무게가 전년과 비교하여 가장 많이 늘어난 때는 각각 몇 살이었나요?

시현 (10)살, 종우 (11)살

시현이는 9살과 10살 사이, 종우는 10살과 11살 사이에 선이 가장 많이 기울어졌습니다.

시현이와 종우의 몸무게 차이가 가장 많이 났을 때는 몇 살이었고, 몸무게는 몇 kg 차이났나요?

(9)살, (4)kg

세로 선에 있는 두 눈금이 가장 많이 떨어져 있는 때는 9살이고
26-22=4(kg) 차이납니다.
(눈금이 4칸 차이나므로 4kg 차이납니다.)

정답

형성평가

형성평가 1회

맞힌 문항 수 : / 6문항

※ 지우네 학교에서 글짓기 대회에 참가한 학년별 학생 수를 조사하여 나타낸 막대그래프입니다. 물음에 답하세요. (1-3)

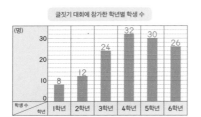

글짓기 대회에 참가한 학년별 학생 수

1 세로 눈금 한 칸은 몇 명을 나타낼까요?
세로 눈금 5칸이 10명을 나타내므로 (2)명
한 칸은 2명을 나타냅니다.

2 글짓기 대회에 가장 많이 참가한 학년은 몇 학년이고, 몇 명이 참가했을까요?
(4)학년, (32)명

3 글짓기 대회에 참가한 학생 수가 2학년의 2배인 학년은 몇 학년일까요?
12×2=24(명)
24명이 참가한 학년은 3학년입니다. (3)학년

※ 현성이가 공원의 기온을 2시간마다 조사하여 나타낸 꺾은선그래프입니다. 물음에 답하세요. (4-6)

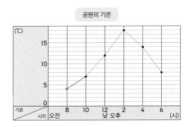

공원의 기온

4 기온이 가장 높은 때는 몇 시이고, 몇 ℃이었을까요?
(오후 2)시, (18)℃
또는 2

5 오후 5시에 공원의 기온은 몇 ℃쯤이었을까요?
오후 4시와 오후 6시를 이은 선분의 가운데 (11)℃
값인 11℃쯤이었을 것입니다.

6 공원의 기온이 오전 8시에는 오전 10시보다 3℃ 더 낮았습니다. 위의 꺾은선그래프를 완성해 보세요.
오전 10시에 7℃였으므로 오전 8시에는 4℃ 였습니다.

형성평가 2회

맞힌 문항 수 : / 6문항

※ 어느 음료 가게에서 팔린 허브차를 매월 조사하여 나타낸 꺾은선그래프입니다. 물음에 답하세요. (1-3)

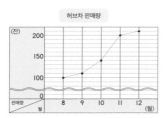

허브차 판매량

1 10월에는 허브차가 몇 잔 팔렸을까요?
세로 눈금 한 칸은 10잔을 나타내므로 (140)잔
10월에는 140잔 팔렸습니다.

2 전달과 비교하여 허브차 판매량이 가장 많이 늘어난 때는 몇 월일까요?
10월과 11월 사이에 선이 가장 많이 기울어졌습니다. (11)월

3 허브차가 가장 많이 팔린 달은 가장 적게 팔린 달보다 몇 잔 더 많이 팔렸을까요?
가장 많이 팔린 달: 12월, 가장 적게 팔린 달: 8월
210-100=110(잔) (110)잔

※ 가와 나 마을 사람들이 원하는 공원 산책로 꾸미기 방안을 조사하여 나타낸 막대그래프입니다. 물음에 답하세요. (4-6)

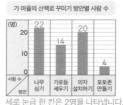

가 마을의 산책로 꾸미기 방안별 사람 수 / 나 마을의 산책로 꾸미기 방안별 사람 수

세로 눈금 한 칸은 2명을 나타냅니다.

4 가와 나 마을에서 가장 많은 사람들이 원하는 산책로 꾸미기 방안은 각각 무엇일까요?
가 마을 (나무 심기), 나 마을 (포토존 만들기)

5 나무 심기를 원하는 사람은 가 마을이 나 마을보다 몇 명 더 많을까요?
22-14=8(명)
(8)명

6 가와 나 마을의 조사 결과를 모았을 때 가장 많은 사람들이 원하는 산책로 꾸미기 방안은 무엇일까요?
나무 심기: 22+14=36(명)
가로등 세우기: 14+8=22(명) (의자 설치하기)
의자 설치하기: 20+18=38(명)
포토존 만들기: 4+20=24(명)

"교과수학을 완성합니다."

수와 도형의 배열에서 규칙을 찾아
사고력을 기릅니다.

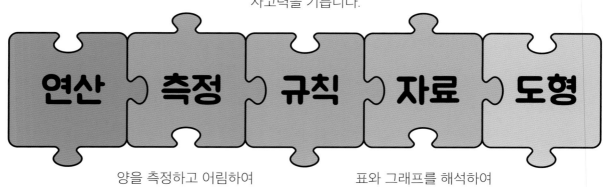

양을 측정하고 어림하여
실생활의 수 감각을 기릅니다.

표와 그래프를 해석하여
추론능력을 기릅니다.